認知機能を鍛える算数おもしろ問題

考えることを楽しむ

青山　庸

東京図書出版

は じ め に

　21 世紀は，新しい知識・情報・技術が政治・経済・文化をはじめ社会のあらゆる領域での活動の基盤として飛躍的に重要性を増す社会「知識基盤社会」といわれている。私たちがこの世に生を受け，この知識基盤社会にあって人格を磨き，ゆりかごから墓場まで心豊かな人生を送るために，ライフステージやライフプランに応じ，各人が，常に学び続けることが求められている。特に，中高齢の世代にあっては，自立や自己実現していくために，精神的な豊かさ，地域社会への参画，生活の充実などを求めて学び続け，自らが生きがいを持って主体的に生きていくことが期待されている。

　また，グローバル化，情報化の時代を迎え，変化の激しい社会を人々がよりよく生きていくために認知機能（理解・判断・論理などの知的機能）を活性化させることが求められている。その中核に位置するのが「思考力」である。一人一人が自ら学び判断し自分で考えを持って，人々と話し合い，考えを比較吟味して統合し，よりよい答えや新しい知識を創り出し，さらに次の問いを見つけていくための不可欠な資質・能力である。

　日常生活を振り返ってみると，私たちは情報化時代に入りパソコンやスマホを使う機会が増えている。しかし，文字を入力して画面に出てくる漢字の候補を選択しているだけでは，認知機能はあまり働いていない。認知機能，特に「思考力」を付けるには，自ら問題意識を持ち，目の前にある問題を解決していこうとする認知活動を通してはじめて活性化し鍛えられる。一方，この認知機能は加齢とともに残念ながら衰えていくのである。そこで，日常や社会生活の中に意図的・継続的に認知活動を組み込んでいく必要があると考える。

　本書は，誰でも慣れ親しんできた算数の素材を分かりやすさとおもしろさの両面から吟味・検討して，生活に身近なおもしろ問題『考えてみよう』を設定している。読者のこれまでの既成概念に捉われることなく，柔軟かつ斬新に，また多面的に問題を捉え，筋道を立てて考えた結果，大きな解決の喜びを味わえるように，問題の設定や着想，着眼点，思考プロセスなどに創意工夫を加えている。

　読者の皆さんが問題『考えてみよう』の解決に取り組むことで期待される認知機能は，「計算力」，「思考力」，「判断力」（空間認識・見当識），「遂行力」（問題を解決すること）と考える。みんなでワイワイ楽しみながら『考えてみよう』にチャレンジしていくことにより，次のような思考力が鍛えられるものと考える。

① 論理的思考力

　　物事を体系的に整理し，矛盾や飛躍のない筋道を立てる思考の方法

　　例えば，「覆面算を楽しむ」(p.21)，「数のブロックを積み重ねる」(p.27)，「筆算を確かめる」(p.37)，「台形を三角形に変身！」(p.95)，「油分け算」(p.129) などである。

② 多面的思考力

　　視点や視野，視座を切り替えて，物事を多面的に捉えることによって切り口を変えて物事を捉える力

　　例えば，「どのように並べてある ?」(p.11)，「小町算を楽しむ」(p.23)，「分数を小数にすると」(p.65)，「いくつ積んである ?」(p.81)，「生活に生きるニュートン算」(p.153) などである。

③ 批判的思考力

　　主観や先入観にとらわれずに物事を見る力

　　例えば，「展開図に色を塗り分ける」(p.77) ，「動かして大きさを考える」(p.113)，「これ何に対応させる」(p.121)，「カレンダーであそぶ」(p.143) などである。

④ 創造的思考力

　　問題に直面したときに，斬新かつ有意義な着想を生み出せる思考

　　例えば，「九九表の総和はいくつ」(p.57) ，「ケーニヒスベルクの橋の問題」(p.101)，「センターラインをぬりなおす」(p.105)，「薬師算」(p.133)，「おはじき遊び」(p.155) などである。

　「この『おもしろ問題』は難しそうだね」「みんなと一緒に考えてみよう」とこれまで慣れ親しんできた算数を思い出し，問題を解くアイディアを出し合い，ひらめいて歓声を上げるなど，一人一人の豊かな発想を楽しみながらチャレンジしてくれることを期待している。このような活動が，自然と認知機能が刺激され鍛えられていくものと考える。本書が教養書として日々の充実した生活に少しでも貢献できれば幸いである。

　最後に，本書の出版に当たり，東京図書出版のスタッフの皆様，福井市の宮田写植印刷伊藤薫様にご支援・ご協力をいただいたことを記し，ここに感謝の意を表したい。

　　2023 年（令和 5 年）11 月

　　　　　　　　　　　　　　　　　　　　　　　　　　　　青 山 　庸

認知機能を鍛える算数おもしろ問題
―考えることを楽しむ―

目 次

1 おはじきなどであそぶ

(1) どのように数えた？ －その1－

1 おはじきが，右の図のように
並んでいる。
　かおりさんは，おはじきの数
を次のような式で求めた。

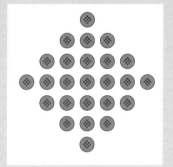

　　$4 × 4 + 3 × 3 = 25$

① かおりさんの式を図を使っ
て説明しよう。

② おはじきの数の求め方を，かおりさんとは別の
式で2通り考えよう。どのように考えたか分かる
ように，図を使って説明しよう。

2 あおいさんは，右のように並
んだご石の数を求める式を3つ
書いた。

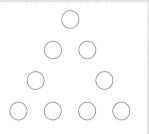

① $4 × 3 - 3$

② $3 × 3$

③ $1 + 2 + 3 + 4 - 1$

　あおいさんがそれぞれどのように考えたのかが分
かるように図を使って説明しよう。

解答

1

①
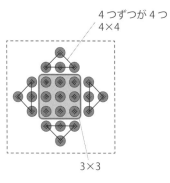

4つずつが4つ
4×4

3×3

4つずつが4つ
4×4

3つずつが3つ 3×3

②（その1）
$3 \times 8 + 1 = 25$

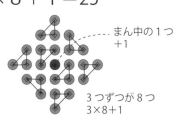

まん中の1つ
＋1

3つずつが8つ
3×8＋1

（その2）
$5 \times 5 = 25$

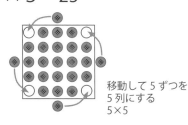

移動して5ずつを
5列にする
5×5

2

① $4 \times 3 - 3$
4つのグループを3つつくる

重なっているご石
3個をひく

② 3×3
3つのグループを3つつくる

③ $1 + 2 + 3 + 4 - 1$

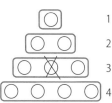

1
2
3
4

各段ごとのご石をたす
ご石がない ⊠1個を
たした数からひく

1 おはじきなどであそぶ

(1) どのように数えた？ －その２－

3 マッチ棒を使って，図のように正方形を横に並べた形をつくった。正方形が８個になったとき，マッチ棒は何本使われたか。

マッチ棒の並び方のパターンに着目して次のように考えた。どんなパターンで考えたか図をかいて説明しよう。

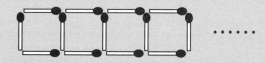

① $4 \times 8 - 7$ ② $3 \times 7 + 4$
③ $8 \times 2 + 9$ ④ $9 \times 2 + 7$
⑤ $3 \times 8 + 1$

4 正方形を x 個つなげたときのマッチ棒の本数について，次のような式をつくった。それぞれどのように考えたのか説明しよう。

① $x + (x + 1) + x$ ② $4x - (x - 1)$

5 正方形が 100 個になったとき，マッチ棒は何本使われたか。1 の①～⑤の好きな考え方で求めよう。

解答

3

マッチ棒の並びのパターンに着目して解決する。

① 4×8－7 の考え方

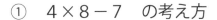

□のマッチ棒4×8本
2重に数えている
マッチ棒7本をひく 4×8－7

② 3×7＋4 の考え方

4本
最後のマッチ棒は4本
3×7+4

③ 8×2＋9 の考え方

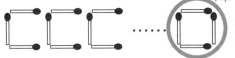

9本
上と下のマッチ棒8×2本
中のマッチ棒 9本 8×2＋9

④ 9×2＋7 の考え方

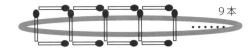

9本
のマッチ棒9本
のマッチ棒9本
内側のマッチ棒は9－2で7本
9×2＋7

9本

⑤ 3×8＋1 の考え方

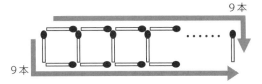

3本のグループが8個で3×8本
最後の1本を加えて 3×8＋1

4

① $x+(x+1)+x$ は，上と下のマッチ棒は x 本ずつ，中の
マッチ棒は（$x+1$）本と考えている。 3の③の考え方
② $4x-(x-1)$ は，□のマッチ棒は4本，2重に数え
ているマッチ棒をひく。 3の①の考え方

5

3の⑤の考え方で求めると
$$3×100+1＝301$$ 答 301本

(2)　どのように並べてある？

考えてみよう

　ゆうとさんとゆなさん，あおいさんの3人が縦，横きれいに並んでいるおはじきの数を計算で求めた。おはじきの数は全部で32個である。

　3人のおはじきの数を求める式は次の①〜③である。
① 　ゆうとさん　　3×8＋2×4
② 　ゆなさん　　　3×4＋5×4
③ 　あおいさん　　（3＋5）×4

1　①の式だけからは，下の図でどのような並べ方が考えられるか。

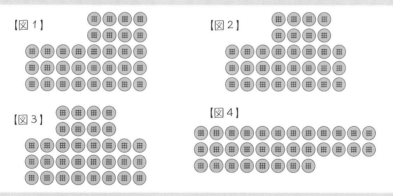

2　①〜③のおはじきの数の求め方の式から図1〜図4の中でどのように並んだ図になっていると考えられるか。

3　2で答えた図を，3人とは違う考え方でおはじきの数を数える式を2通り考え，図を使って説明しよう。

解答

1 図1〜図4のすべてが考えられる。

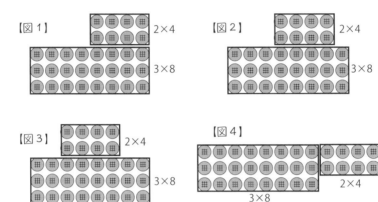

2 図1と考えられる。

②の式からは　　　③の式からは

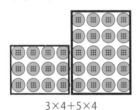

3×4＋5×4

のようにして数を求めた。

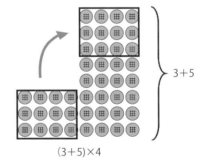

（3＋5）×4

のようにして数を求めた。

3 （その1）

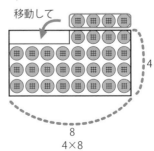

8
5×8−2×4

（その2）

移動して

8
4×8

1 おはじきなどであそぶ

1

右の図のように立方体を
x 個つなげたとき，棒は何本
必要か。

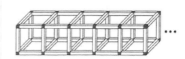

いろいろな求め方で考え，図をかいて説明しよう。

〈例1〉

【図】

……

【式】

マッチ棒の3の
② 3×7＋4の考え方
で求められないかな。

⊏⊏⊏……⊐

〈例2〉

【図】

……

【式】

マッチ棒の3の③
8×2＋9の考え方
で求められないかな。

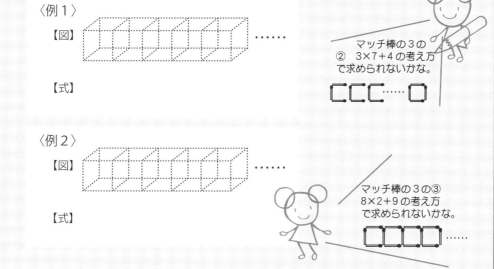

2

下の図のように，立方体を2段にしたものを x 個
つなげたとき，棒は何本必要か。図をかいて説明し
よう。

解答

1

〈例１〉マッチ棒の問題３の②のように考えると

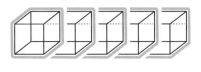

式を計算すると

$12+8(x-1)$　　　$8x+4$（本）

答　$8x+4$ 本

〈例２〉マッチ棒の問題３の③のように考えると

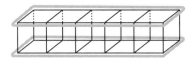

式を計算すると
$8x+4$（本）

$2\{2(x+1)+(x-1)\}+2(x+1)$

答　$8x+4$ 本

マッチ棒の他の考え方
でも求められるよ。

2

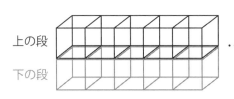

上の段

下の段

上の段　$8x+4$（本）

下の段　$8x+4$（本）

重なっている部分　$3x+1$（本）

全部で

　$2(8x+4)-(3x+1)$

　$=13x+7$

答　$13x+7$ 本

2 おもしろ計算

(1) カードあそび

考えてみよう

1 4 , 3 , 2 , 1 の4枚の数字カードがある。
この順に使って, 答えが0から 10 までになる式を
考えよう。

ただし, +, -, ×, ÷ や ( ) のどれを使っても
よい。

〈例〉 0になる場合

$$4 - 3 - 2 + 1 = 0$$

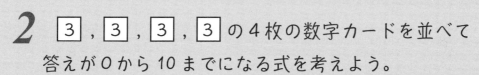

2通り考えてみよう。

2 3 , 3 , 3 , 3 の4枚の数字カードを並べて
答えが0から 10 までになる式を考えよう。

また, 4 , 4 , 4 , 4 の4枚の数字カードを
並べて0から 10 までになる式を考えよう。

ただし, +, -, ×, ÷ や ( ) のどれを使っても
よい。

一通りだとは限らないので,
いろいろ考えてみよう。

解答

1 〈例〉 その1

$(4-3)-(2-1)=0$
$(4-3)×2-1=1$
$4-3+2-1=2$
$4-3÷(2+1)=3$
$4-3+2+1=4$
$4×(3-2)+1=5$
$4+3-2+1=6$
$4×3÷2+1=7$
$4×(3-2+1)=8$
$4×3-2-1=9$
$4×3-(2×1)=10$

〈例〉 その2

$4-(3+2)+1=0$
$(4-3)÷(2-1)=1$
$(4-3)+(2-1)=2$
$4-3+2×1=3$
$4-(3-2)+1=4$
$(4×3)÷2-1=5$
$(4×3)÷(2×1)=6$
$(4×3)÷2+1=7$
$4+3+(2-1)=8$
$4+(3×2)-1=9$
$4+(3×2×1)=10$

2 〈例〉
③ の数字カード4枚の場合

$3-3+3-3=0$
$3-3+3÷3=1$
$3÷3+3÷3=2$
$(3+3+3)÷3=3$
$(3×3+3)÷3=4$
$(3+3)÷3+3=5$
$3+3+3-3=6$
$3+3+3÷3=7$
$3×3-3÷3=8$
$3×3+3-3=9$
$3×3+3÷3=10$

〈例〉
④ の数字カード4枚の場合

$4-4+4-4=0$
$(4+4)÷(4+4)=1$
$4-(4+4)÷4=2$
$(4+4+4)÷4=3$
$4+(4-4)×4=4$
$(4×4+4)÷4=5$
$4+(4+4)÷4=6$
$4+4-(4÷4)=7$
$(4×4)÷4+4=8$
$4+4+(4÷4)=9$
$(44-4)÷4=10$

2 おもしろ計算

(2) 四則計算記号を入れる

1 □ に＋か－を入れて，式を完成させよう。

① 2 □ 3 □ 4 = 1

② 5 □ 4 □ 3 □ 2 □ 1 = 1

③ 1 □ 2 □ 3 □ 4 □ 5 □ 6 □ 7 □ 8 □ 9
= 1

2 □ に，＋，－，×，÷ を入れて，式を完成させよう。
（ ）を使ってもよい。2通り考えてみよう。

① $\frac{1}{2}$ □ $\frac{1}{3}$ □ $\frac{1}{6}$ = 1   ② $\frac{1}{6}$ □ $\frac{1}{3}$ □ $\frac{1}{4}$ = 2

③ $\frac{1}{4}$ □ $\frac{1}{2}$ □ $\frac{1}{6}$ = 3   ④ $\frac{1}{3}$ □ $\frac{1}{2}$ □ $\frac{1}{6}$ = 4

3 □ に，＋，－，×，÷ を
入れて，式を完成させよう。
（ ）を使ってもよい。

先に計算したいときは
（ ）を使おう。
式はたくさん
できるね。

① 9 □ 3 □ 4 □ 7 = 10

② 9 □ 4 □ 6 □ 4 = 10

③ 1 □ 1 □ 2 □ 3 = 10

④ 8 □ 5 □ 7 □ 2 = 10

解答

1

① $2 + 3 - 4 = 1$

② $5 - 4 + 3 - 2 - 1 = 1$

③ $1 + 2 - 3 - 4 + 5 + 6 - 7 - 8 + 9 = 1$

2

（その1）

① $\dfrac{1}{2} + \dfrac{1}{3} + \dfrac{1}{6} = 1$

② $\dfrac{1}{6} \div \dfrac{1}{3} \div \dfrac{1}{4} = 2$

③ $\dfrac{1}{4} \div \dfrac{1}{2} \div \dfrac{1}{6} = 3$

④ $\dfrac{1}{3} \div \dfrac{1}{2} \div \dfrac{1}{6} = 4$

（その2）

① $\dfrac{1}{2} \times \dfrac{1}{3} \div \dfrac{1}{6} = 1$

② $\left(\dfrac{1}{6} + \dfrac{1}{3}\right) \div \dfrac{1}{4} = 2$

③ $\dfrac{1}{4} \div \left(\dfrac{1}{2} \times \dfrac{1}{6}\right) = 3$

④ $\dfrac{1}{3} \div \left(\dfrac{1}{2} \times \dfrac{1}{6}\right) = 4$

3

① $(9 + 3) \div 4 + 7 = 10$

② $9 \times 4 \div 6 + 4 = 10$

③ $1 + (1 + 2) \times 3 = 10$

④ $(8 + 5 + 7) \div 2 = 10$

いっぷく

これ，たし算できる？
① 豚2頭とコップ3個，合わせるといくつになる。
② みかんが3個ある。りんごが2個ある。合わせるといくつになる。

解答
①× ②○
「同種」「同単位」ならたし算できるよ。

2 おもしろ計算

(3) 虫食い算を楽しむ

虫食い算とは，和紙が虫に食われやすいことに目をつけ，計算の式に数字がわからないところをつくった問題である。

考えてみよう

1 かくれている数字を □ の中に書き入れよう。

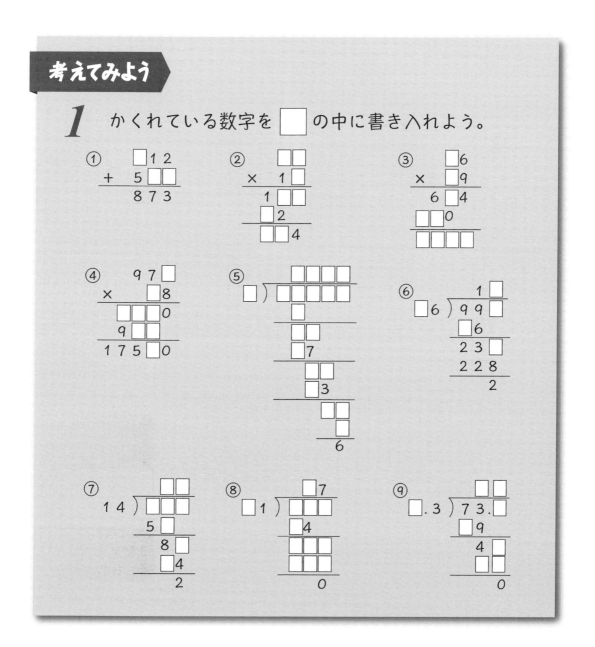

解答

1 まずわかるところに着目して，順に数字を入れて考えると
よい。

①
```
   3 1 2
+  5 6 1
  8 7 3
```

②
```
      2 2    ← 着目
×     1 7
    1 5 4
    2 2
    3 7 4
```

③
```
      7 6
×     5 9
    6 8 4
  3 8 0
  4 4 8 4    ← 着目
```

④
```
      9 7 5    ← 着目
×       1 8
    7 8 0 0
      9 7 5
  1 7 5 5 0
```

⑤
```
          1 3 7 1
    9 ) 1 2 3 4 5
          9
          3 3
          2 7    ← 着目
            6 4
            6 3
              1 5
              9
              6
```

着目
九九の中で
下ケタが7や
3になるものは
9×3 と 9×7
しかない。

⑥
```
            1 3
  7 6 ) 9 9 0
        7 6
        2 3 0    ← 着目
        2 2 8
            2
```

⑦
```
          4 6    ← 着目
  1 4 ) 6 4 6
        5 6
        8 6
        8 4
          2
```

⑧
```
          4 7
  2 1 ) 9 8 7    ← 着目
        8 4
        1 4 7
        1 4 7
            0
```

⑨
```
                3 2    ← 着目
  2.3 ) 7 3.6
        6 9
          4 6
          4 6
            0
```

いっぷく

$\dfrac{1}{3} - \dfrac{1}{\square} = \dfrac{\bigcirc}{\triangle}$
が成り立つように
□, ○, △ に数を書き入れよう。

1組だけではないよ。
(4, 1, 12), (7, 4, 21),
(5, 2, 15) などがあるよ。

2 おもしろ計算

(4) 覆面算を楽しむ

覆面算とは，計算の中の数字を文字または記号で置き換えたものである。

考えてみよう

1 次の計算で，同じ文字には同じ数字が入る。あてはまる数字を考えよう。

①
```
    K Y O T O
 +  O S A K A
  ─────────────
    T O K Y O
```

②
```
      A B
  ×   B A
  ────────
      B D
    E A B
  ────────
    E C D D
```

③
```
      A B
  ×   C D
  ────────
      E A
    A B
  ────────
    D C A
```

④
```
          A B
  A B )  A C C
         A B
       ──────
         B C
         B C
       ──────
          O
```

⑤
```
            A A
  A A )   A B A
          A A
        ──────
           A A
           A A
         ──────
            O
```

①はむずかしいよ。
よく考えてね。
この問題は数学者
森本清吾さんの有名
な作品だよ。

解答

1

考え方の例

・O＋A＝O だから Aは0
・O＋A＝K だから KはOより1大きい
・K＋O＝Tでくり上がっていないから
　T＝2×O＋1　Oは2，3，4のいずれか
・T＋K＝Y は3×O＋2 でくり上がった数になって
　いるから Oは3，4，5のいずれか
　したがってOは3か4になる
・O＝3とすると
　K＝4，T＝7，　Y＝1，S＝2となる
・O＝4とすると
　Y＝4，S＝0 となりO＝4，A＝0と
　矛盾する

① 　　K Y O T O
　　＋ O S A K A
　　　 T O K Y O

K＝4，Y＝1，O＝3
T＝7，S＝2，A＝0

② 　　　A B
　　 ×　B A
　　　　B D
　　 E A B
　　 E C D D

A＝2
B＝5
C＝3
D＝0
E＝1

着目

D＝0となり
B＋Bはくり上がって
いるから5

③ 　　　A B
　　 ×　C D
　　　　E A
　　　A B
　　 D C A

A＝2
B＝4
C＝1
D＝3
E＝7

着目

AB×C＝AB から
Cは1である

B×D＝A で
D＝A＋1になる
また，
E＋B＝11 となり
場合をつくすと
E＝7，B＝4のとき
成り立つ

④ 　　　　　A B
　　 A B） A C C
　　　　　 A B
　　　　　　B C
　　　　　　B C
　　　　　　　 O

着目

AB×A＝AB から
Aは1である

A＝1
B＝2
C＝4

⑤ 　　　　　A A
　　 A A） A B A
　　　　　 A A
　　　　　　A A
　　　　　　A A
　　　　　　　 O

着目

AA×A＝AA から
Aは1である

A＝1
B＝2

2 おもしろ計算

(5) 小町算を楽しむ

1，2，3，4，5，6，7，8，9の順に数字を並べ，数字と数字の間に＋，－，×，÷ の記号を入れて，決まった数をつくる遊びを「小町算」という。

1 次の式の □ に，＋，－，×，÷ の記号を入れ，計算の結果が 100 になるようにしよう。

① 1＋2 □ 3 4 － 5 6 ＋ 7 8 ＋ 9 ＝100

② 1 2 ＋ 3 □ 4 ＋ 5 ＋ 6 ＋ 7 □ 8 ＋ 9 ＝100

③ 1 ＋ 2 □ 3 ＋ 4 × 5 － 6 ＋ 7 ＋ 8 □ 9
＝100

④ － 1 2 3 － 4 ＋ 5 □ 6 × 7 □ 8 ＋ 9 ＝100

⑤ 1 2 3 □ 4 5 □ 6 7 □ 8 9 ＝100

2 いろいろな小町算を5組つくろう。

① 1　2　3　4　5　6　7　8　9 ＝100

② 1　2　3　4　5　6　7　8　9 ＝100

③ 1　2　3　4　5　6　7　8　9 ＝100

④ 1　2　3　4　5　6　7　8　9 ＝100

⑤ 1　2　3　4　5　6　7　8　9 ＝100

解答

1

① $1+2$ $\boxed{\times}$ $34-56+78+9=100$

② $12+3$ $\boxed{\times}$ $4+5+6+7$ $\boxed{\times}$ $8+9=100$

③ $1+2$ $\boxed{\times}$ $3+4\times5-6+7+8$ $\boxed{\times}$ 9
　$=100$

④ $-123-4+5$ $\boxed{\times}$ 6×7 $\boxed{+}$ $8+9=100$

⑤ 123 $\boxed{-}$ 45 $\boxed{-}$ 67 $\boxed{+}$ $89=100$

2

例えば

① $1+2+3-4+5+6+78+9=100$

② $1\times2\times3\times4+5+6+7\times8+9=100$

③ $1+2+3+4+5+6+7+8\times9=100$

④ $1\times2\times3-4\times5+6\times7+8\times9=100$

⑤ $12+3+4+5-6-7+89=100$

そのほかにも
つくれるよ！

| 参考 | 〜小町算のいわれ〜 |

平安時代，絶世の美人といわれた小野小町のもとへ
「百夜かよったら結婚してあげてもいい」といわれ，深草少将は，九
十九夜かよって，あと一夜という日に力つきて亡くなったと伝わって
いる。それにちなんで，考え出されたのが小町算である。
百人一首の中には，
「花の色は移りにけりな いたづらに 我が身世にふる ながめせしま
に」
という小野小町の歌がある。

2 おもしろ計算

(6) $\dfrac{b}{a} \div \dfrac{d}{c}$ を $\dfrac{b \div d}{a \div c}$ で求める

1 $\dfrac{b}{a} \times \dfrac{d}{c} = \dfrac{b \times d}{a \times c}$ であるから $\dfrac{b}{a} \div \dfrac{d}{c} = \dfrac{b \div d}{a \div c}$

と考えて計算できないか。

$$\dfrac{9}{20} \div \dfrac{3}{5} = \dfrac{9 \div 3}{20 \div 5} = \dfrac{3}{4}$$

で計算でき，答えは正しい。

　次の計算を，この方法で計算してみよう。

① $\dfrac{6}{35} \div \dfrac{3}{5}$

② $\dfrac{3}{5} \div \dfrac{2}{3}$

③ $\dfrac{2}{5} \div \dfrac{3}{4}$

$\dfrac{b}{a} \times \dfrac{d}{c} = \dfrac{b \times d}{a \times c}$ であるから
$\dfrac{b}{a} \div \dfrac{d}{c} = \dfrac{b \div d}{a \div c}$
と考えるのは至極当然だよ。

2 $\dfrac{b}{a} \div \dfrac{d}{c} = \dfrac{b}{a} \times \dfrac{d}{c} \left(\dfrac{b \times d}{a \times c} \right)$

と学校では教えられたが，これは上の計算方法とプロセスが同じである。このことを考えてみよう。

解答

1 ① $\dfrac{6}{35} \div \dfrac{3}{5} = \dfrac{6 \div 3}{35 \div 5} = \dfrac{2}{7}$

② $\dfrac{3}{5} \div \dfrac{2}{3} = \dfrac{18}{30} \div \dfrac{2}{3}$ $\left(\dfrac{3}{5} = \dfrac{3 \times 6}{5 \times 6} \quad だから \right)$

$= \dfrac{18 \div 2}{30 \div 3} = \dfrac{9}{10}$

3と4の最小公倍数
12を分子分母にかけるんだよ。

③ $\dfrac{2}{5} \div \dfrac{3}{4} = \dfrac{24}{60} \div \dfrac{3}{4}$ $\left(\dfrac{2}{5} = \dfrac{2 \times 12}{5 \times 12} \quad だから \right)$

$= \dfrac{24 \div 3}{60 \div 4} = \dfrac{8}{15}$

2 ②で説明すると，ここでの変形をていねいに見れば，逆数をかける方法と同じ計算プロセスを使っていることがわかる。

$\dfrac{\boxed{\dfrac{3}{5} \div \dfrac{2}{3}}}{} = \dfrac{3 \times 6}{5 \times 6} \div \dfrac{2}{3}$

$= \dfrac{3 \times 6 \div 2}{5 \times 6 \div 3}$

$= \dfrac{\boxed{3 \times 3}}{\boxed{5 \times 2}}$

逆数をかける方法と
結びつけると

したがって
$\dfrac{3}{5} \div \dfrac{2}{3} = \dfrac{3 \times 3}{5 \times 2}$

 ゆえに，分数のわり算は，除数の逆数をかければ求められることがわかる。

 学校では，このような計算プロセスを省略して

$$\dfrac{b}{a} \div \dfrac{d}{c} = \dfrac{b}{a} \times \dfrac{c}{d}$$

の結果だけを強調している。

2 おもしろ計算

(7) 数のブロックを積み重ねる －その１－

右の図は，となり合う数のブロック □ の中にかかれた数の和が，その上の数のブロック □ のなかに入っている。

12 ………… 3段目
4 8 ……… 2段目
1 3 5 …… 1段目

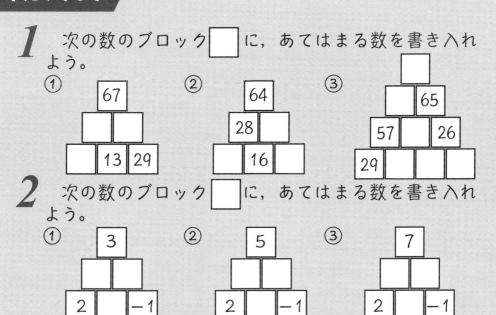

考えてみよう

1 次の数のブロック □ に，あてはまる数を書き入れよう。

① 67 / 13 29
② 64 / 28 / 16
③ □ 65 / 57 26 / 29

2 次の数のブロック □ に，あてはまる数を書き入れよう。

① 3 / 2 −1
② 5 / 2 −1
③ 7 / 2 −1

1段目の中央の数を x として考えると良いよ。

3 上の２の①～③のブロックの完成図を横に見ると，１段目の中央の数が１ずつ増えると，３段目の数が２増えている。そのわけを考えよう。

この関係に目をつけて，１段目の中央の数を求めよう。

解答

1 ① 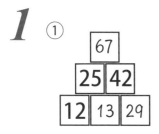　　② 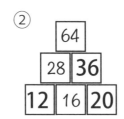　　③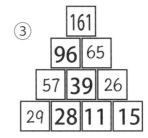

2 ① 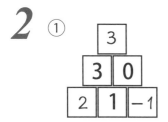　　② 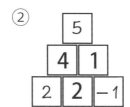　　③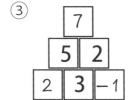

3　　1段目の中央の数が増えると3段目の数が2ずつ増える。これは3段目の数に1段目の中央の数が2回たされるからである。

　　このきまりを使って①～③の1段目の中央の数を求めることができる。

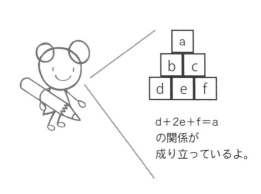

d+2e+f=a
の関係が
成り立っているよ。

〈例〉
③の場合

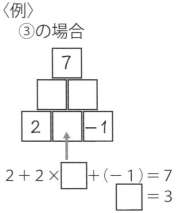

2＋2×□＋（－1）＝7
　　　　　　　□＝3

2 おもしろ計算

(7) 数のブロックを積み重ねる　－その２－

　下の図において，数のブロックの１段目と２段目には，４から－４までのいずれかの整数が入る。

　３段目の数が０になる数のブロックはいくつできるか。次の４から６の順序で考えよう。

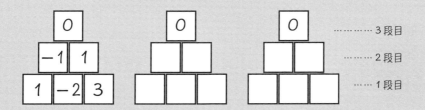

4
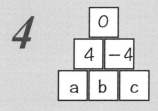
　左の図のように，２段目の数が（４，－４），のときは，（a，b，c）の組み合わせは何個あるか考えよう。

5　２段目の数が（３，－３）のときは，（a，b，c）の組み合わせは何個あるか考えよう。

6　以下２段目の数は（２，－２），（１，－１）のときの組み合わせを考え，すべての組み合わせが何個あるか考えよう。

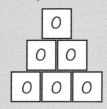

（0, 0）の場合も忘れないで最後に加えよう。

解答

4

2段目の数が（4，−4）の場合

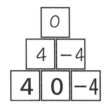

（a，b，c）の組み合わせは <u>1</u> 個

5

2段目の数が（3，−3）の場合

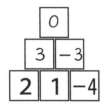 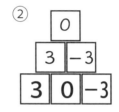 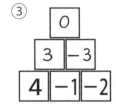

（a，b，c）の組み合わせは <u>3</u> 個

6

次に2段目の数が（2，−2）の場合は，1段目の組み合わせの個数は，下の図の5個ある。

 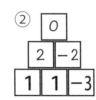 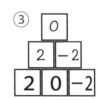 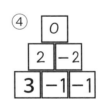 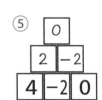

2段目の数の組み合わせをすべて考えると，
（4，−4），（3，−3），（2，−2），（1，−1），（0，0）で
1段目の数の組み合わせの個数は，それぞれ1個，3個，5個，7個，1個である。

計 <u>17個</u>

1 　1〜9の数字を1回使って，たし算が成り立つ数字を書き入れよう。

① 　　 4 8 □
　　＋ □□2
　　　　□3□

② 　　 3 6 □
　　＋ □□7
　　　　4 □□

2 　次の覆面算をしよう。

① 　　 A B C
　　＋ B A C
　　　C A C A

② 　　 A B
　　＋ A B
　　　C B D

③ 　　 A B
　　× C B
　　 E D D B

④ 　　 D D
　　× D D
　　 E A B

3 　次の小町算が成り立つように □ に四則演算記号を入れよう。

① 　1 2 3 □ 4 □ 5 □ 6 7 □ 8 9 = 100

② 　1 2 □ 3 □ 4 □ 5 □ 6 7 □ 8 □ 9 = 100

③ 　1 □ 2 3 □ 4 □ 5 6 □ 7 □ 8 □ 9 = 100

解答

1

①
```
    4 8 7
 +  1 5 2
 ─────────
    6 3 9
```

②
```
    3 6 8
 +  1 2 7
 ─────────
    4 9 5
```

2

①
```
   A B C
 + B A C
 ───────
 C A C A
```
A = 2
B = 9
C = 1

くり上がりは必ず1だよ。

②
```
   A B
 + A B
 ─────
 C B D
```
A = 6
B = 2
C = 1
D = 4
または
A = 7
B = 4
C = 1
D = 8

A + Aは
Cはくり上がりで
1だから
5×2
6×2
7×2
8×2
9×2
のいずれか
だよ。

③
```
     A B
 ×   C B
 ───────
 E D D B
```
A = 7
B = 1
C = 6
D = 3
E = 4

B×B=Bより
Bは
1×1=1
5×5=25
6×6=36
のいずれかだよ。

④
```
     D D
 ×   D D
 ───────
 B A B
```
A = 8
B = 4
D = 2

3

① 1 2 3 + 4 − 5 + 6 7 − 8 9 = 100
② 1 2 + 3 − 4 + 5 + 6 7 + 8 + 9 = 100
③ 1 + 2 3 − 4 + 5 6 + 7 + 8 + 9 = 100

3　おもしろ筆算

(1)　筆算を工夫する　ーその1ー

1　次のような順序で計算していくと，簡単に
2ケタ×2ケタのかけ算ができる。

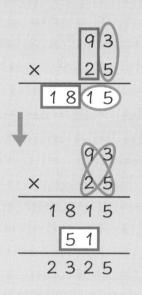

1. 3×5=⑮ を書く。
2. 9×2=⑱ を千の位の位置から書く。
3. たすきにかけた数の和を書く。
   (9×5) + (3×2) =⑤⑴
   百の位の位置から書く。
4. 1815 と 51 を加える。
   2325 が答え。

この計算方法で，次のかけ算をしよう。

① 　　71
　　×　48
　　―――――

② 　　29
　　×　37
　　―――――

③ 　　62
　　×　27
　　―――――

④ 　　52
　　×　37
　　―――――

あとでこの方法が
正しいことを考え
るよ。

解答

1

①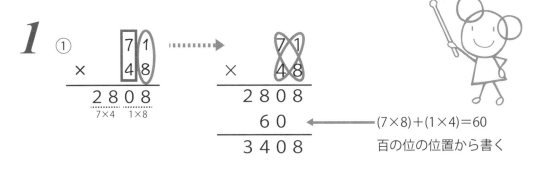

$(7×8)+(1×4)=60$
百の位の位置から書く

②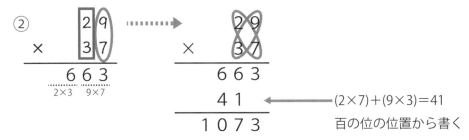

$(2×7)+(9×3)=41$
百の位の位置から書く

③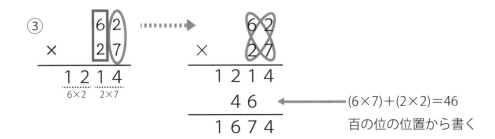

$(6×7)+(2×2)=46$
百の位の位置から書く

④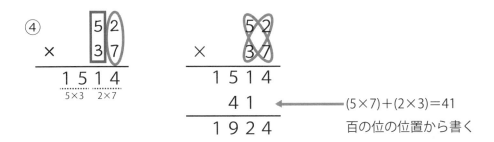

$(5×7)+(2×3)=41$
百の位の位置から書く

コメント ・・・ この計算の仕方は，インド式計算法といわれるものである。筆算の工夫する（その２）のかけ算では２ケタの整数が特別な形になっている。

3 おもしろ筆算

(1) 筆算を工夫する ―その2―

2 次のように十の位の数字が同じ，一の位の数字の和が 10 のとき，さらに簡単に暗算で計算できる。

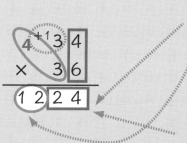

1. $4 \times 6 = \boxed{24}$ を十の位の位置から書く。
2. 十の位の同じ数 3 に +1 して 4 にして $4 \times 3 = \boxed{12}$ を千の位の位置から書く。
3. 答えは 1224 である。

この計算方法で次のかけ算をしよう。
① 23×27 ② 31×39 ③ 84×86

3 26×29のように十の位の数字が同じとき，下のように簡単に暗算で計算できる。

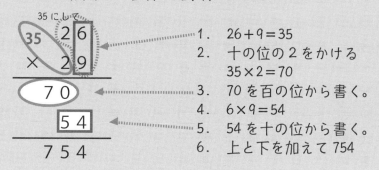

1. $26 + 9 = 35$
2. 十の位の 2 をかける $35 \times 2 = 70$
3. 70 を百の位から書く。
4. $6 \times 9 = 54$
5. 54 を十の位から書く。
6. 上と下を加えて 754

この計算方法で次のかけ算をしよう。
① 74×75 ② 62×65 ③ 36×34

解答

2

① 23×27

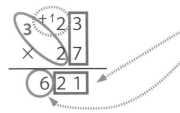

1. 3×7＝21
2. 十の位2を3にして
   3×2＝6
   答　621

暗算でやって
みよう。

② 31×39

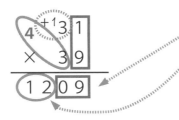

1. 1×9＝9
2. 十の位3を4にして
   4×3＝12
   答　1209

③ 84×86

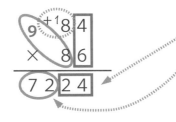

1. 4×6＝24
2. 十の位8を9にして
   9×8＝72
   答　7224

3

① 74×75

1. 74＋5＝79
2. 十の位7をかけて
   79×7＝553
3. 553を千の位から書く
4. 4×5＝20
5. 20を十の位から書く
6. 上と下を加えて5550
   答　5550

暗算でやって
みよう。

以下答のみ示す
② 答 4030　　③ 答 1224

3 おもしろ筆算

(2) 筆算を確かめる ―その1―

1 p.33の1の計算方法が正しいかどうか，面積図を使って考えてみよう。

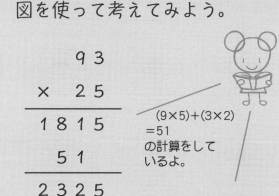

(9×5)+(3×2)
=51
の計算をして
いるよ。

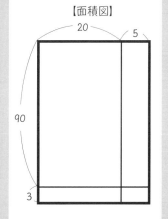

2 p.35の2の計算方法が正しいかどうか，面積図を使って考えてみよう。

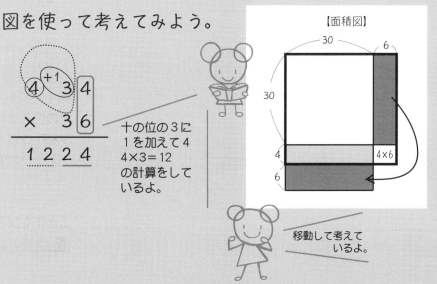

十の位の3に
1を加えて4
4×3=12
の計算をして
いるよ。

移動して考えて
いるよ。

解答

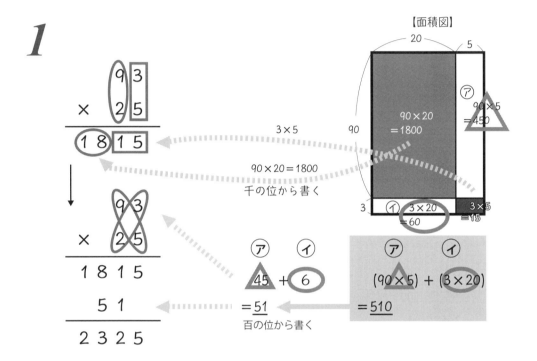

この計算の仕方が長方形の面積のすべての部分を求めているので，この計算方法は正しい。

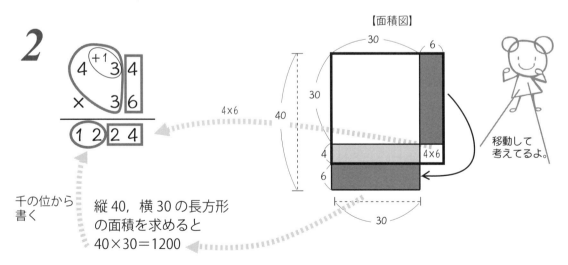

この計算の仕方が長方形の面積のすべての部分を求めているので，この計算方法は正しい。

(2) 筆算を確かめる ―その2―

3 　26×29のように十の位の数字が同じときの計算の方法が正しいかどうか，面積図を使って考えてみよう。

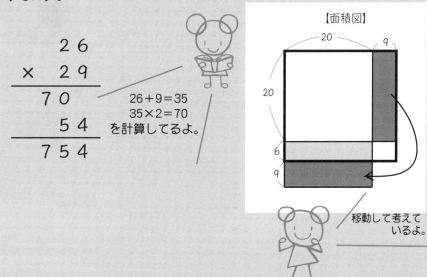

```
    2 6
 ×  2 9
─────────
    7 0
    5 4
─────────
    7 5 4
```

26＋9＝35
35×2＝70
を計算してるよ。

【面積図】

移動して考えているよ。

4 　2ケタ×2ケタのかけ算の数字に着目して，最も適した方法でかけ算をしよう。

① 　56×52　　　② 　74×76
③ 　54×37　　　④ 　72×78
⑤ 　63×48　　　⑥ 　43×46

解答

3

移動して考えると，
㋐　縦３５，横２０の長方形の面積と，
㋑　縦６，横９の長方形
の面積の和を求めればよい。

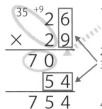

1. 26＋9＝35
   35×2＝70
   　㋐を求めている。
2. 70 を百の位の位置に書く。
3. 6×9＝54
   　㋑を求めている。
   54 を十の位の位置に書く。
4. 上と下を加えて　754
   　　　答　754

【面積図】

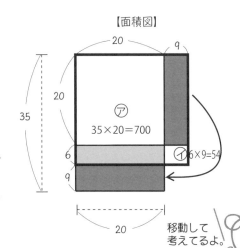

移動して
考えてるよ。

この計算の仕方が長方形の面積のすべての部分を求めているので，この計算方法は正しい。

4

①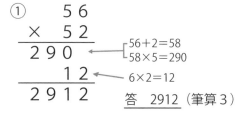

$56＋2＝58$
$58×5＝290$

$6×2＝12$

答　2912（筆算3）

②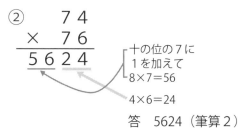

十の位の7に
1を加えて
$8×7＝56$

$4×6＝24$

答　5624（筆算2）

③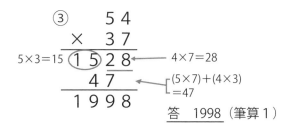

$5×3＝15$

$4×7＝28$

$(5×7)＋(4×3)$
$＝47$

答　1998（筆算1）

暗算で
できたかな。

以下答だけ示す。
④　５６１６（筆算2）　　⑤　３０２４（筆算1）
⑥　１９７８（筆算3）

3 おもしろ筆算

1 17×18のかけ算を次のような計算の仕方で答を求めることができる。

1. まず，一の位の数同士をかける。

$$7×8＝56$$

2. 一の位の数同士をたして，10倍にする。

$$(7＋8)×10＝150$$

3. 10同士をかける。

$$10×10＝100$$

4. 1, 2, 3 の答を合計する。

$$56＋150＋100＝306$$

① 答が正しいことを筆算で確かめよう。

② どうしてこのような計算の仕方で正しい答えが求めることができるか，右の筆算形式の部分積を参考にして説明しよう。

```
      1 7
  ×   1 8
  ─────────
      5 6 ……  □ × □
      8 0 ……  □ × □
      7 0 ……  □ × □
    1 0 0 ……  □ × □
  ─────────
    3 0 6
```

③ 次のかけ算をこの方法で計算しよう。
ア．15×14　　イ．13×16

④ この方法が使えるのは，かけられる数，かける数がどのような整数のときか。

- 41 -

解答

1

①
```
      1 7
  ×   1 8
  ─────────
    1 3 6
      1 7
  ─────────
    3 0 6
```
答　正しい

筆算形式の部分積と比べるとよく分かるよ。

②
```
      1 7
  ×   1 8
  ─────────
      5 6  …… 7×8                          → 1.
      8 0  …… 10×8  ┐(7+8)×10
      7 0  …… 7×10  ┘=150                  → 2.
    1 0 0  …… 10×10                        → 3.
  ─────────
    3 0 6     (7×8)+(7+8)×10+(10×10)=306
```

計算の仕方の番号

③ ア．15×14

1. 5×4=20
2. (5+4)×10=90
3. 10×10=100
4. 20+90+100=210

答　210

イ．13×16

1. 3×6=18
2. (3+6)×10=90
3. 10×10=100
4. 18+90+100=208

答　208

④ かけられる数も，かける数も，どちらも 10 以上 20 未満の整数のときだけ使える。

コメント ●●● 先に説明したインド式筆算の特別な形の計算法といえる。
（p.33~40 参照）

4　どうして結果が同じ？

(1)　異なるかけ算の積が同じ

1　アとイの式を計算して，答を比べてみよう。

① $\begin{cases} \text{ア.} & 36 \times 42 \\ \text{イ.} & 24 \times 63 \end{cases}$　② $\begin{cases} \text{ア.} & 23 \times 64 \\ \text{イ.} & 46 \times 32 \end{cases}$

　積が同じになる。このときア，イの数字がどのような形のかけ算になっているか考えてみよう。

③ $\begin{cases} \text{ア.} & 4.8 \times 4.2 \\ \text{イ.} & \boxed{} \times \boxed{} \end{cases}$

　アと積が同じになるようにイのかけ算を考えよう。

2　積が同じになるような前問のア，イのようなかけ算を2組作ってみよう。
　その理由も考えてみよう。

解答

1

積が同じになるかけ算の数字の形の条件は，次の (1)，(2) である。

(1) アとイは位の数字が逆になっている。

〈例〉 ア．$\underrightarrow{36 \times 42}$ イ．$\underleftarrow{24 \times 63}$

(2) かけられる数とかける数の同じ位の数の積が同じになっている。

〈例〉 ア．3⃝6△×4⃝2△

③ $\begin{cases} ア．4.8 \times 4.2 \\ イ．\boxed{2.4} \times \boxed{8.4} \end{cases}$ (1) と (2) のような形になるように考えると 2.4 と 8.4 になる。

2

〈例〉 ① $\begin{cases} ア．63 \times 12 \\ イ．21 \times 36 \end{cases}$ ② $\begin{cases} ア．6.3 \times 4.8 \\ イ．8.4 \times 3.6 \end{cases}$

理由 筆算形式における部分積を比べると，理由が分かる。

①の場合

```
      6 3              2 1
  ×   1 2          ×   3 6
  ─────────        ─────────
      ⑥ 2×3            ⑥ 6×1
    1 2              1 2
    3                3
  ─────────        ─────────
    ⑥ 1×6            ⑥ 3×2
    7 5 6            7 5 6
```

⃝の囲みと ☐の囲みの部分が入れ替わるだけで，他の部分は同じ計算をしている。

4 どうして結果が同じ？

(2) 引いてもかけても答が同じ

1 アとイの式を計算して，答を比べてみよう。

① $\begin{cases} \text{ア．} \dfrac{1}{2} - \dfrac{1}{3} \\ \\ \text{イ．} \dfrac{1}{2} \times \dfrac{1}{3} \end{cases}$ ② $\begin{cases} \text{ア．} \dfrac{3}{5} - \dfrac{3}{8} \\ \\ \text{イ．} \dfrac{3}{5} \times \dfrac{3}{8} \end{cases}$

〇－△＝〇×△の計算の答が同じになる理由を考え，次の③,④の式を完成しよう。

③ $\begin{cases} \text{ア．} \dfrac{5}{6} - \dfrac{\boxed{}}{\boxed{}} \\ \\ \text{イ．} \dfrac{5}{6} \times \dfrac{\boxed{}}{\boxed{}} \end{cases}$ ④ $\begin{cases} \text{ア．} \dfrac{\boxed{}}{\boxed{}} - \dfrac{6}{13} \\ \\ \text{イ．} \dfrac{\boxed{}}{\boxed{}} \times \dfrac{6}{13} \end{cases}$

2 前問のア，イの式のように答が同じになる分数の差と積の式を2組作ってみよう。また，その理由も考えてみよう。

解答

1

① $\begin{cases} \text{ア.} \quad \dfrac{1}{2} - \dfrac{1}{3} = \dfrac{\boxed{3-2}}{2 \times 3} \\[3mm] \text{イ.} \quad \dfrac{1}{2} \times \dfrac{1}{3} = \dfrac{\boxed{1}}{2 \times 3} \end{cases}$ 　同じ数になっている

② $\begin{cases} \text{ア.} \quad \dfrac{3}{5} - \dfrac{3}{8} = \dfrac{3 \times \boxed{(8-5)}}{5 \times 8} \\[3mm] \text{イ.} \quad \dfrac{3}{5} \times \dfrac{3}{8} = \dfrac{3 \times \boxed{3}}{5 \times 8} \end{cases}$ 　同じ数になっている

分母の数の差と分子の数を同じ数字にすればよい。

③ $\begin{cases} \text{ア.} \quad \dfrac{5}{6} - \dfrac{\boxed{5}}{\boxed{11}} \\[3mm] \text{イ.} \quad \dfrac{5}{6} \times \dfrac{\boxed{5}}{\boxed{11}} \end{cases}$ 　　　　④ $\begin{cases} \text{ア.} \quad \dfrac{\boxed{6}}{\boxed{7}} - \dfrac{6}{13} \\[3mm] \text{イ.} \quad \dfrac{\boxed{6}}{\boxed{7}} \times \dfrac{6}{13} \end{cases}$

2

〈例〉① $\dfrac{2}{3} - \dfrac{2}{5} = \dfrac{2}{3} \times \dfrac{2}{5}$ 　答 $\dfrac{4}{15}$

　　　② $\dfrac{4}{5} - \dfrac{4}{9} = \dfrac{4}{5} \times \dfrac{4}{9}$ 　答 $\dfrac{16}{45}$

理由

① $\begin{cases} \text{ア.} \quad \dfrac{2}{3} - \dfrac{2}{5} \\[3mm] \text{イ.} \quad \dfrac{2}{3} \times \dfrac{2}{5} \end{cases}$ 　$\dfrac{2 \times \boxed{(5-3)}}{3 \times 5}$ 　　同じ数になるようにしている

　　　　　　　　　　　$\dfrac{2 \times \boxed{2}}{3 \times 5}$

② $\begin{cases} \text{ア.} \quad \dfrac{4}{5} - \dfrac{4}{9} \\[3mm] \text{イ.} \quad \dfrac{4}{5} \times \dfrac{4}{9} \end{cases}$ 　$\dfrac{4 \times \boxed{(9-5)}}{5 \times 9}$ 　　同じ数になるようにしている

　　　　　　　　　　　$\dfrac{4 \times \boxed{4}}{5 \times 9}$

(3) 割っても引いても答が同じ

次の計算は，割っても引いても答が同じになる分数である。

① $\dfrac{4}{1} \div \dfrac{2}{1}$ $\dfrac{4}{1} - \dfrac{2}{1}$ ③ $\dfrac{16}{3} \div \dfrac{4}{3}$ $\dfrac{16}{3} - \dfrac{4}{3}$

② $\dfrac{9}{2} \div \dfrac{3}{2}$ $\dfrac{9}{2} - \dfrac{3}{2}$ ④ $\dfrac{25}{4} \div \dfrac{5}{4}$ $\dfrac{25}{4} - \dfrac{5}{4}$

考えてみよう

1 上の①〜④の分数の答を求めるプロセスに注目して，割っても引いても答が同じになる分数で，分母が5，6，7になる分数を考えてみよう。

⑤ $\dfrac{36}{5} \div \dfrac{\Box}{5} = \dfrac{36}{5} - \dfrac{\Box}{5}$

⑥ $\dfrac{\Box}{6} \div \dfrac{\Box}{6} = \dfrac{\Box}{6} - \dfrac{\Box}{6}$

⑦ $\dfrac{\Box}{7} \div \dfrac{\Box}{7} = \dfrac{\Box}{7} - \dfrac{\Box}{7}$

2 前問と同じく，分母が2，3，4になる分数を考えてみよう。

① $\dfrac{\Box}{2} \div \dfrac{\Box}{2} = \dfrac{\Box}{2} + \dfrac{\Box}{2}$

② $\dfrac{\Box}{3} \div \dfrac{\Box}{3} = \dfrac{\Box}{3} + \dfrac{\Box}{3}$

③ $\dfrac{\Box}{4} \div \dfrac{\Box}{4} = \dfrac{\Box}{4} + \dfrac{\Box}{4}$

解答

1

⑤ $\dfrac{36}{5} \div \dfrac{\boxed{6}}{5} = \dfrac{36}{5} - \dfrac{\boxed{6}}{5}$ 答　6

⑥ $\dfrac{\boxed{49}}{6} \div \dfrac{\boxed{7}}{6} = \dfrac{\boxed{49}}{6} - \dfrac{\boxed{7}}{6}$ 答　7

⑦ $\dfrac{\boxed{64}}{7} \div \dfrac{\boxed{8}}{7} = \dfrac{\boxed{64}}{7} - \dfrac{\boxed{8}}{7}$ 答　8

考え方

①～④の答が，2,3,4,5になっていることから，⑤～⑦の答が6,7,8になるように考えればよい。

2

① $\dfrac{\boxed{1}}{2} \div \dfrac{\boxed{1}}{2} = \dfrac{\boxed{1}}{2} + \dfrac{1}{2}$ 答　1

② $\dfrac{\boxed{4}}{3} \div \dfrac{\boxed{2}}{3} = \dfrac{\boxed{4}}{3} + \dfrac{\boxed{2}}{3}$ 答　2

③ $\dfrac{\boxed{9}}{4} \div \dfrac{\boxed{3}}{4} = \dfrac{\boxed{9}}{4} + \dfrac{\boxed{3}}{4}$ 答　3

考え方

①～③の答が，1,2,3になるように考えればよい。

いっぷく

・かけられる数より積が小さくなるのは何番かな。
　① 8×1.3　② $\dfrac{1}{5} \times \dfrac{7}{6}$　③ $2\dfrac{1}{5} \times \dfrac{5}{7}$
・わられる数より商が大きくなるのは何番かな。
　④ $24.6 \div 1.5$　⑤ $0.08 \div 0.4$　⑥ $\dfrac{1}{6} \div 1\dfrac{5}{6}$

③と⑤だよ。
式を見ただけで分かったかな。

4 どうして結果が同じ？

活用してみよう

1 ① 自分で好きな数（整数か小数）を決めて，次の順序でかけ算をしよう。他の好きな数でも同じ順序でかけ算をしよう。
ア．好きな数を選ぶ。
イ．アの数に０.２５をかける。
ウ．イの数に２.５をかける。
エ．ウの数に１.６をかける。
それぞれの結果はどうなったか考えよう。

０の数は
ダメだよ。

② 自分で好きな数（整数か小数）を決めて，次の順序でわり算をしよう。他の好きな数でも同じ順序でわり算をしよう。
ア．好きな数を選ぶ。
イ．アの数を０.２５でわる。
ウ．イの数を２.５でわる。
エ．ウの数を１.６でわる。
それぞれの結果はどうなったか考えよう。

③ ①,②で分かったことを説明しよう。

2 次の①〜③と答が同じになる計算を 〔　〕の中から選ぼう。

① $24 \times \dfrac{1}{100}$　　② 24×0.125

③ $24 \div 0.5$

ア．$24 \div 4$　　　　イ．24×2
ウ．$24 \div 100$　　エ．$24 \div 8$

解答

1

自分の好きな数 26, 3.7, 0.7 を選んだとする。

① 1) $26 \times 0.25 \times 2.5 \times 1.6 = 26$

  2) $3.7 \times 0.25 \times 2.5 \times 1.6 = 3.7$

  3) $0.7 \times 0.25 \times 2.5 \times 1.6 = 0.7$

計算の結果はすべて選んだ好きな数と同じ数になる。

② 1) $26 \div 0.25 \div 2.5 \div 1.6 = 26$

  2) $3.7 \div 0.25 \div 2.5 \div 1.6 = 3.7$

  3) $0.7 \div 0.25 \div 2.5 \div 1.6 = 0.7$

計算の結果はすべて選んだ好きな数と同じ数になる。

③ 好きな数を $\boxed{}$ で表すと

好きな数には1をかけているから好きな数になるんだね。

①の場合

$$\boxed{} \times 0.25 \times 2.5 \times 1.6$$

$$= \boxed{} \times \frac{1}{4} \times \frac{5}{2} \times \frac{8}{5}$$

$$= \boxed{} \times 1 \qquad もとの数 \boxed{} になる。$$

②の場合

$$\boxed{} \div 0.25 \div 2.5 \div 1.6$$

$$= \boxed{} \times 4 \times \frac{2}{5} \times \frac{5}{8}$$

$$= \boxed{} \times 1 \qquad もとの数 \boxed{} になる。$$

計算しないで見つけられたかな。

2

① ウ　　② エ　　③ イ

5 九九表のおもしろ分析

(1) きまりを見つける ―その1―

右の表は九九表である。この表を見て，次の問いに答えよう。

九九表

かける数

	1	2	3	4	5	6	7	8	9
1	1	2	3	4	5	6	7	8	9
2	2	4	6	8	10	12	14	16	18
3	3	6	9	12	15	18	21	24	27
4	4	8	12	16	20	24	28	32	36
5	5	10	15	20	25	30	35	40	45
6	6	12	18	24	30	36	42	48	54
7	7	14	21	28	35	42	49	56	63
8	8	16	24	32	40	48	56	64	72
9	9	18	27	36	45	54	63	72	81

かけられる数

1 3の段では，かける数が1増えると答はいくつずつ増えるか。8の段ではいくつずつ増えるといえるか。
このきまりを一般的に言えば，あるひとつの段で，かける数が1増えると答はどのように増えるといえるか。

2 かける数が4のとき，かけられる数が2の段から3の段になると答はいくつ増えるか。かける数が6のときはどうか。これを一般に言えば，かける数が1増えるとかけられる数はどのように増えるといえるか。

3 2の段と3の段の答を縦にたすと，何の段の答と同じになるといえるか。
9の段の答は，何の段と何の段の答を縦にたした答と同じになるといえるか。2通り答えよう。このきまりを一般的にまとめてみよう。

	1	2	3	4	5	6
1						
2	2	4	6	8	10	12
3	3	6	9	12	15	18
4						
?	5	10	15	20	25	30

解答

1
・3の段では，かける数が1増えると答は3ずつ増える。
・8の段では，かける数が1増えると答は8ずつ増える。
・かける数が1増えると答はかけられる数だけ増える。

2
・かける数が4のとき

$2 \times 4 = 8$ $3 \times 4 = 12$	4増える

・かける数が6のとき

$2 \times 6 = 12$ $3 \times 6 = 18$	6増える

・かけられる数が1増えると答はかけられる数だけ増える。

3
・（2の段の答）＋（3の段の答）＝（5の段の答）
・9の段の答になる例
　①（2の段の答）＋（7の段の答）＝（9の段の答）
　②（3の段の答）＋（6の段の答）＝（9の段の答）
・（aの段の答）＋（bの段の答）＝｛（$a+b$）の段の答｝

$$a\underline{x} \; + \; b\underline{x} \; = \; (a+b)\underline{x}$$
かけられる数

これを分配の法則という。

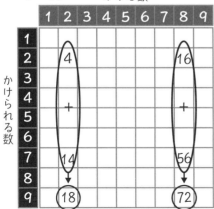

5 九九表のおもしろ分析

(1) きまりを見つける　－その２－

4 九九表１をみると，対角線を境にして，左下の部分の答と右上の部分の答が同じ数になっている。その理由を考えてみよう。

5 九九表２のように，かぎ型の数字を加えると１，８，２７，６４…７２９になっている。この和のきまりを見つけよう。また，その理由も考えてみよう。

6 九九表３が示すように，対角線上の数は正方形の面積を表す数である。これをおはじきにおきかえたのがその下の図である。おはじきの数である１，３，５…の和（奇数の和になっている）は，どんなきまりがあるか。これらの図を参考にして考えてみよう。

① 1
② 1＋3
③ 1＋3＋5
④ 1＋3＋5＋7
⑤ 1＋3＋5＋7＋9
⋮　　⋮
⑧ 1＋3＋5＋7＋9＋11＋13＋15
⑨ 1＋3＋5＋7＋9＋11＋13＋15＋17

九九表１

	1	2	3	4	5	6	7	8	9
1	1	2	3	4	5	6	7	8	9
2	2	4	6	8	10	12	14	16	18
3	3	6	9	12	15	18	21	24	27
4	4	8	12	16	20	24	28	32	36
5	5	10	15	20	25	30	35	40	45
6	6	12	18	24	30	36	42	48	54
7	7	14	21	28	35	42	49	56	63
8	8	16	24	32	40	48	56	64	72
9	9	18	27	36	45	54	63	72	81

九九表２

		1	2	3	4	5	6	7	8	9
1 ←	1	1	2	3	4	5	6	7	8	9
8 ←	2	2	4	6	8	10	12	14	16	18
27 ←	3	3	6	9	12	15	18	21	24	27
64 ←	4	4	8	12	16	20	24	28	32	36
125 ←	5	5	10	15	20	25	30	35	40	45
216 ←	6	6	12	18	24	30	36	42	48	54
343 ←	7	7	14	21	28	35	42	49	56	63
512 ←	8	8	16	24	32	40	48	56	64	72
729 ←	9	9	18	27	36	45	54	63	72	81

九九表３

	1	2	3	4	5	6	7	8	9
1	1								
2		4							
3			9						
4				16					
5					25				
6						36			
7							49		
8								64	
9									81

1 ←
3 ←
5 ←
7 ←
9 ←
⋮

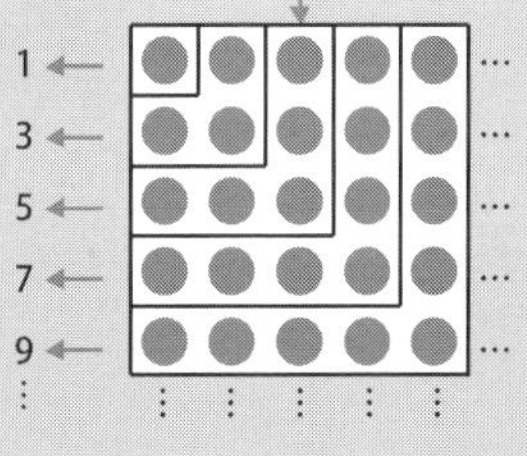

解答

4 九九表1で表しているように，7×3と3×7の答は等しい。
一般に *a×b* と *b×a* の答は等しい。
このように交換の法則が成り立つので，対角線について対称な答は等しくなっている。

5

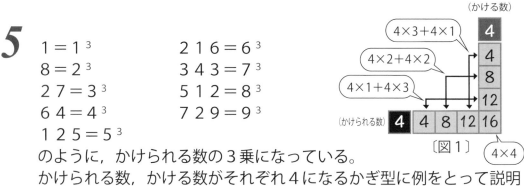

〔図1〕

1 = 1³	216 = 6³
8 = 2³	343 = 7³
27 = 3³	512 = 8³
64 = 4³	729 = 9³
125 = 5³	

のように，かけられる数の3乗になっている。
かけられる数，かける数がそれぞれ4になるかぎ型に例をとって説明すると，図1のように

$$4×(1+3)+4×(2+2)+4×(3+1)+4×4$$
$$=(4×4)×4$$
$$=4^3 \qquad となる。$$

6 九九表3のおはじきの図の正方形を1つ1つ分けて表示すると，

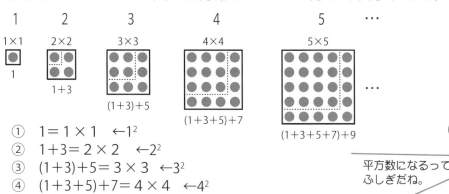

① $1=1×1 \quad ←1^2$
② $1+3=2×2 \quad ←2^2$
③ $(1+3)+5=3×3 \quad ←3^2$
④ $(1+3+5)+7=4×4 \quad ←4^2$
⑤ $(1+3+5+7)+9=5×5 \quad ←5^2$
⋮　　　　⋮
⑨ $(1+3+5+7+9+11+13+15)+17=9×9 \quad ←9^2$
となり，奇数の和は正方形の1辺の平方数になっている。

平方数になるってふしぎだね。

5 九九表のおもしろ分析

(2) 九九表であそぶ

1 次の①〜⑥は，九九表の一部である。空白の答を考えてみよう。

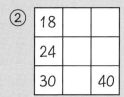

①
2		6
	6	
4		12

②
18		
24		
30		40

③
16		
	25	
		36

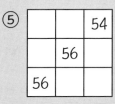

④
	49	

⑤
		54
	56	
56		

⑥
	28	
24		
		45

・⑤は 56 が斜めにあることから，斜めの見方で考えられるのでは。
・⑥の 45 は 5 の段で，5×9 か 9×5 のどちらかだよ。

2

　　　　　　〔かける数〕
	5	6	7	8	9
6…	30	36	42	48	54
7…	35	42	49	56	63
8…	40	48	56	64	72

（かけられる数）

　左の表は，九九表の一部である。長方形で囲まれた数の和は，

$(6+7+8) \times (5+6+7+8+9)$

で求められる。このわけを考えてみよう。

分配の法則を
使って考えてね。

解答

1

①

	1	2	3
2	2	4	6
3	3	6	9
4	4	8	12

②

	6	7	8
3	18	21	24
4	24	28	32
5	30	35	40

③

	4	5	6
4	16	20	24
5	20	25	30
6	24	30	36

④

	6	7	8
6	36	42	48
7	42	49	56
8	48	56	64

⑤

	7	8	9
6	42	48	54
7	49	56	63
8	56	64	72

⑥

	3	4	5
7	21	28	35
8	24	32	40
9	27	36	45

5の段の答は一の位が5と0の
くりかえしになっているよ。

2

6の段の5から9までの和は　　　6×(5＋6＋7＋8＋9)
7の段の5から9までの和は　　　7×(5＋6＋7＋8＋9)
8の段の5から9までの和は　　　8×(5＋6＋7＋8＋9)

長方形で囲まれた数の和は，(5＋6＋7＋8＋9)＝A とすると
6A＋7A＋8A＝A(6＋7＋8)（分配の法則）
したがって
(5＋6＋7＋8＋9)×(6＋7＋8)
乗法の交換の法則を使うと
(6＋7＋8)×(5＋6＋7＋8＋9) になる。

5 九九表のおもしろ分析

(3) 九九表の総和はいくつ

右の表は，九九表である。次の1，2の2つの考え方で九九表の総和を求めてみよう。

九九表

				かける数					
	1	2	3	4	5	6	7	8	9
1	1	2	3	4	5	6	7	8	9
2	2	4	6	8	10	12	14	16	18
3	3	6	9	12	15	18	21	24	27
4	4	8	12	16	20	24	28	32	36
5	5	10	15	20	25	30	35	40	45
6	6	12	18	24	30	36	42	48	54
7	7	14	21	28	35	42	49	56	63
8	8	16	24	32	40	48	56	64	72
9	9	18	27	36	45	54	63	72	81

（左側縦書き：かけられる数）

1 1の段，2の段，…の各段の答の和を次の方法で考え，総和を求めてみよう。

① 1の段の和

$$1 + 2 + 3 + \cdots + 9$$

の和をいろいろ工夫して求めてみよう。

② 1の段の合計をAで表すと，

1の段	A	4の段	A×□倍
2の段	A×□倍	⋮	
3の段	A×□倍	9の段	A×□倍

で表せる。上の□が何倍になるか数を入れよう。この考え方を使って，九九表の総和を求めてみよう。

2 9の段から1の段の答の平均を求めて，九九表の総和を求めてみよう。

① 9の段の答の平均はいくらになるか工夫して求めてみよう。

② 8の段から1の段の答の平均がそれぞれいくつになるか①の考え方を使って求めてみよう。

③ 8の段から1の段の全部の答の平均はいくつになるか求めてみよう。

④ ①～③の考え方を使って，九九表の総和を求めてみよう。

解答

1 ① ア．10 にまとめて考える
$$(1+9)+(2+8)+(3+7)+(4+6)+5=45$$
イ．かけ算を使う
$$(1+8)+(2+7)+(3+6)+(4+5)+9$$
$$=9×5$$
$$=45$$
ウ．ガウスの考え方
$$(1+2+3+…+9)+(9+8+7+…+1)$$
$$=10×9÷2$$
$$=45$$

Aは
45 だよ。

②
1 の段	A
2 の段	A × 2 倍
3 の段	A × 3 倍
4 の段	A × 4 倍
⋮	
9 の段	A × 9 倍

1〜81の総和は
$$A+2A+3A+…+9A$$
$$=A(1+2+3+…+9)$$
$$=45×45$$
$$=2025$$

答　2025

2 ① 9の段の全部の答の和は
$$9+18+27+36+45+54+63+72+81$$

$45×9$で求められるので，この平均は45になる。

② 同じ考え方で，8の段から1の段の答の平均はそれぞれ
40，35，30，25，20，15，10，5　となる。

③ 8の段から1の段の平均の和を考えると，
40，35，30，25，20，15，10，5

このように$45×4$になる。

④ 九九表の総和は，
$$(45×5)×9=45×45=2025$$　答　2025

5 九九表のおもしろ分析

九九表

かける数

	1	2	3	4	5	6	7	8	9	10	11	12
1	1	2	3	4	5	6	7	8	9			
2	2	4	6	8	10	12	14	16	18			
3	3	6	9	12	15	18	21	24	27			
4	4	8	12	16	20	24	28	32	36			
5	5	10	15	20	25	30	35	40	45			
6	6	12	18	24	30	36	42	48	54			
7	7	14	21	28	35	42	49	56	63			
8	8	16	24	32	40	48	56	64	72			
9	9	18	27	36	45	54	63	72	81			
10												
11												
12												

かけられる数

1 1から9までの九九表のきまりを使って，上の表のかけられる数，かける数が10以上になったときの答を見つけることを考えよう。どんな考え方で表を広げたか説明しよう。

どんなきまりがあったかな？

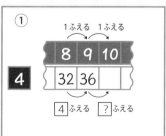

①
1ふえる　1ふえる

8	9	10

4 | 32 | 36 | |

4 ふえる　? ふえる

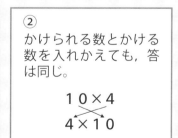

②
かけられる数とかける数を入れかえても，答は同じ。

$$10 \times 4$$
$$4 \times 10$$

- 59 -

解答

1

【その1】

① かける数が1増えると答はかけられる数だけ増えるを使って，**A**の部分の答を求める。

② かける数とかけられる数を入れかえても答が同じ（交換の法則）で**B**の部分の答を求める。
（図上の斜め線で左右対称になっている。）

【その2】

① かけられる数が1増えると答はかけられる数で増えるを使って，**A**の部分の答を求める。

② （aの段の答）＋（bの段の答）
＝（a＋bの段の答）
を使って，10の段，11の段…の答（**B**の部分）を求める。

> 例えば，
> 9の段の答と2の段の
> 答をたすと11の段の
> 答が求められるよ。

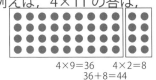

【その3】

① 例えば，4×11の答は，

4×9＝36 　 4×2＝8
36＋8＝44

このような考え方で**A**の部分を求める。

② 例えば，11×4の答は，4×11の答の交換の法則を使って求める。このような考え方で**B**の部分を求める。

③ 【その1】の①の考え方を使って**C**の部分を求める。

6 分数の世界のふしぎ

(1) 分数の意味を考える －その1－

考えてみよう

1 下の図は，ある単位について端下が出た場合の小数の端下処理と分数の端下処理の仕方を図で表したものである。その違いを説明しよう。

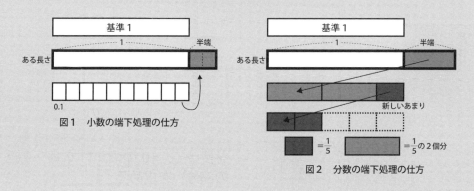

基準1

ある長さ ── 1 ── 半端

0.1

図1　小数の端下処理の仕方

基準1

ある長さ ── 1 ── 半端

新しいあまり

$=\dfrac{1}{5}$　$=\dfrac{1}{5}$の2個分

図2　分数の端下処理の仕方

2 次の図のような，2mの長さのテープがある。

① このテープの$\dfrac{1}{2}$を黒く塗ろう。

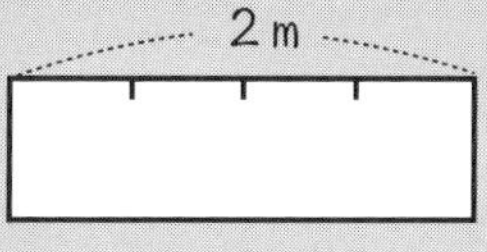

2m

② このテープの$\dfrac{1}{2}$mを黒く塗ろう。

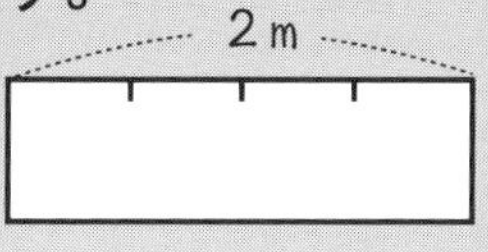

2m

何をもとにしているかに着目してよ。

解答

1

小数の場合

ある単位についての端下が出た場合，その単位を 10 等分して 1 つ下の単位にする。図 1 では 0.1 の単位を表している。0.1 が 2 つ分あるので，ある長さは 1.2 である。

さらに，端下が出た場合は，0.1 の単位を 10 等分して 1 つ下の単位にする。このように考えていくと，いくら端下ができても困ることはない。

分数の場合

小数とは違い，10 等分をしていって下の単位を作るのではなく，1 つのものを任意個に等分していく。図 2 の場合，半端を等分してできた新しいあまりを 5 等分して，ある長さになっている。したがって，新しいあまりが 5 等したものが 2 個あるから，ある長さは 1 と $\frac{2}{5}$ $\left(1\frac{2}{5}\right)$ である。

2

①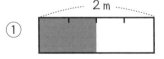

「もとにする量」は 2 m だよ。

テープのもとの長さ 2 m の $\frac{1}{2}$ を塗る。
1 m になる。

②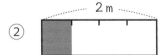

「もとにする量」は 1 m だよ。

$\frac{1}{2}$ m と単位がついているので，もとの長さは 1 m である。
したがって，1 m の $\frac{1}{2}$ を塗る。
$\frac{1}{2}$ m になる。

6 分数の世界のふしぎ

(1) 分数の意味を考える　－その２－

　　分数は，それぞれ使用されている場合に応じて，いろいろな意味をもつ。デリケートな違いなので，混同されやすい面もある。その意味に応じて下記のような名前がつけられている。
① 　分割分数　　等分に分割したもののいくつ分の意味
② 　操作分数　　$\frac{2}{3}$を「３等分して２倍する」という操作を表すという意味
③ 　量分数　　　$\frac{2}{3}$m，$\frac{2}{3}$Lなど量の単位をつけた分数
④ 　商分数　　　$\frac{2}{5}$は２÷５の商を表す分数
⑤ 　割合分数　　３mは４mの$\frac{3}{4}$というように割合を表す分数
⑥ 　有理数を表す分数　　$\frac{2}{3}$，$\frac{3}{4}$など，有理数を表す場合の分数

考えてみよう

3　日常生活では，次のような分数で表現している。この分数の意味は，何分数と言えるか。
　① 　１つのケーキを４人に均等に分けるとき，１人分は$\frac{1}{4}$である。この$\frac{1}{4}$は
　② 　平均して４日に１日の割合で雨が降るという過去の記録に基づく降水確率は$\frac{1}{4}$である。この$\frac{1}{4}$は
　③ 　１２個の卵の中から４個を使うと，卵を$\frac{1}{3}$使ったことになる。この$\frac{1}{3}$は
　④ 　スティック・チーズを$\frac{1}{3}$に切り分ける。この$\frac{1}{3}$は

4　ジュース２Lを，同じように３つに分けると，１つ分は何Lになるか。右図を使って説明しよう。

　　　　２÷３

２÷3=0.66…
わり切れないよ。

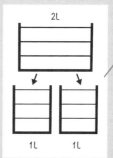

１Lの容器
２つで考え
ると分かり
やすいよ。

解答

3

① 分割分数 　② 割合分数
③ 割合分数 　④ 操作分数

4

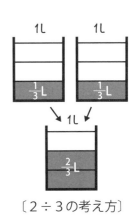

・2L が，1L ずつ2つの容器に入っていると
　考えると，1人分は $\frac{1}{3}$ L が2つ分だから $\frac{2}{3}$ L
　になる。

・$2 \div 3 = \frac{2}{3}$ 　$\frac{2}{3}$ L

コメント ●●● $\frac{2}{3}$ は，次の2通りに考えることができる。
$\frac{2}{3}$ は，$\frac{1}{3}$ の2つ分
$\frac{2}{3}$ は，$2 \div 3$ の商

〔2÷3の考え方〕

参考　分数の意味をまとめると，次のようになる。

① もとの大きさ　　もとの大きさの $\frac{2}{3}$

分割分数

②
水のかさ
$\frac{2}{3}$ L

量分数

③ 青　　　　　20cm
　白　　　　　　30cm

0　　　　$\frac{2}{3}$　　1　（倍）

割合分数

④ $2 \div 3 = \frac{2}{3}$

商分数

⑤ 0　　$\frac{2}{3}$　1　　　　2

有理数を表す分数

6 分数の世界のふしぎ

(2) 分数を小数にすると ―その1―

分数には，$\frac{7}{10}=0.7$のように，きちんと小数で表すことができる分数（有限小数）と，$\frac{5}{9}=0.555\cdots（0.\dot{5}）$のように，きちんと表せない分数（無限小数）がある。

考えてみよう

1 $\frac{7}{45}$は無限小数になり，きちんと小数で表すことができない。しかし，
$45\div7=6.4285174285174\cdots$
と428517が繰り返す循環小数になる。その訳を下の筆算の余りア，イに着目して説明してみよう。

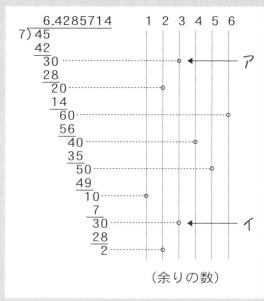

（余りの数）

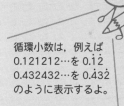

循環小数は，例えば
0.121212…を0.$\dot{1}\dot{2}$
0.432432…を0.$\dot{4}3\dot{2}$
のように表示するよ。

2 次の分数が有限小数になることを分母に着目して説明しよう。

① $\frac{3}{8}$　　② $\frac{3}{25}$　　③ $\frac{1}{20}$

解答

1

① 7で割った余りは1，2，3，4，5，6以外にはない。余りは6個しかない。

② 右の筆算でアの余り3に着目すると，後の余りの6つ目でイのように余り3となり重なっている。

③ 余りが6個しかないので，いつか必ず余りは重なる。

④ 一度余りが重なると，アからイまでの同じ余りの道筋を通り，この繰り返しになる。

⑤ $45 \div 7 = 6.428517428517\cdots$となり $6.4\overset{\cdot}{2}851\overset{\cdot}{7}$で表す。

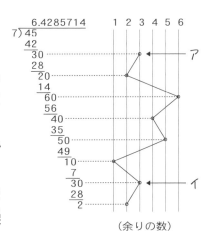

（余りの数）

2

① $\dfrac{3}{8} = \dfrac{3}{2^3} = \dfrac{3 \times 5^3}{2^3 \times 5^3} = \dfrac{375}{10^3} = 0.375$

② $\dfrac{3}{25} = \dfrac{3}{5^2} = \dfrac{3 \times 2^2}{5^2 \times 2^2} = \dfrac{12}{10^2} = 0.12$

③ $\dfrac{1}{20} = \dfrac{1}{2 \times 10} = \dfrac{1 \times 5}{(2 \times 10) \times 5} = \dfrac{5}{10^2} = 0.05$

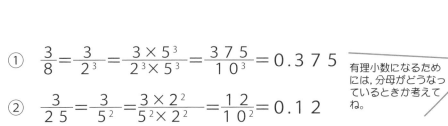

有理小数になるためには，分母がどうなっているときか考えてね。

・有理小数になるためには，分母が $10, 10^2, 10^3, 10^4, \cdots$ となる必要がある。

・分母の素因数に2と5以外があると10の累乗を分母とする分数はできない。

〈例〉 $\dfrac{5}{9} = \dfrac{5}{3^2}$ ←── ダメ

・有限小数になるのか否かは，分母を素因数分解して，10の累乗になるかで判断すればよい。

6 分数の世界のふしぎ

(2) 分数を小数にすると －その２－

循環小数を分数になおすことを考えてみよう。

3 $\dfrac{1}{9}=0.\dot{1}$　　$\dfrac{1}{99}=0.\dot{0}\dot{1}$　　$\dfrac{1}{999}=0.\dot{0}0\dot{1}$
になることを使って，次の循環小数を分数になおし
てみよう。

① $0.3\dot{2}$　　　② $0.\dot{5}$　　　③ $0.\dot{0}4\dot{7}$

4 循環小数を分数になおすには，循環する部分をな
くせばよいことに着目して，次の循環小数を分数に
なおしてみよう。

① $0.\dot{2}\dot{4}$

ある分数を x とすると，

$x=0.2424\cdots$

両辺を何倍かして，循環する部分を消すことを
考えると

$$
\begin{array}{r}
x=0.2424\cdots \\
-)\ \boxed{}\,x=\boxed{} \\
\hline
\bigcirc\,x=\boxed{}
\end{array}
$$

このように考えて，循環小数を分数になおすこ
とを考えてみよう。

② $0.1\dot{2}$　　　③ $0.4\dot{3}\dot{2}$

解答

3 ① $0.\dot{3}\dot{2}=0.\dot{0}\dot{1}\times32$
$\qquad =\dfrac{32}{99}$

② $0.\dot{5}=0.\dot{1}\times5$
$\qquad =\dfrac{5}{9}$

③ $0.\dot{0}4\dot{7}=0.\dot{0}0\dot{1}\times47$
$\qquad =\dfrac{1}{999}\times47$
$\qquad =\dfrac{47}{999}$

4 ① $0.2424\cdots$ を x とおくと，そして，この場合１００倍すれば小数点以下がそろって

$$x=\quad 0.2424\cdots$$
$$-)\ \boxed{100}x=\boxed{24.2424\cdots}$$
$$\overline{\ominus{99}x=\ominus{24}}$$

よって $x=\dfrac{24}{99}$

$\qquad x=\dfrac{8}{33}\qquad$ と分数で表される

② $x=\quad 0.1212\cdots$
$-)\ \dfrac{100x=12.1212\cdots}{\quad}$
$-99x=-12$
$x=\dfrac{12}{99}$
$x=\dfrac{4}{33}$

③ $x=\quad 0.432432\cdots$
$-)\ \dfrac{1000x=432.432432\cdots}{\quad}$
$-999x=-432$
$x=\dfrac{432}{999}$
$x=\dfrac{144}{333}$

6 分数の世界のふしぎ

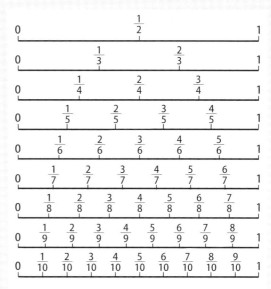

分数のものさし

1 右の図は，分数のものさしである。これから見えてくるものは何か。このものさしを下の図のように3通りの見方で分数の仕組みや分数のきまりなどを具体的に見つけよう。

【Ⅰ】 上下の見方

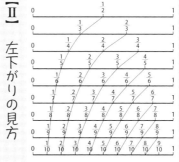

【Ⅱ】 左下がりの見方

【Ⅲ】 右下がりの見方

・大きさの等しい分数がみえないかな？
・分数の大小関係がみえないかな？
・分数と整数，小数の関係がみえないかな？

解答

1 例えば，次のような関係が見える。

① **大きさの等しい分数（同値な分数）**

・縦に並んでいる分数は，大きさが等しい。

〈例〉 $\frac{1}{2}$, $\frac{2}{4}$, $\frac{3}{6}$, …

② **分数の大小関係**

・分子が1のとき，分母が大きくなるほど，1つの分数の大きさは小さくなる。

〈例〉 $\frac{1}{2} > \frac{1}{3} > \frac{1}{4} > \cdots$

・分子が同じとき，分母が大きいほど分数は小さくなる。

〈例〉 $\frac{3}{2} > \frac{3}{3} > \frac{3}{4} > \cdots$

・分母が違う分数の大小関係は，通分して比べられる。

〈例〉 $\frac{1}{2}\left(=\frac{2}{4}\right) < \frac{3}{4}$

③ **分数と整数，小数の関係**

・整数や小数も分数に表すことができる。

〈例〉 0.1 は $\frac{1}{10}$ と同じ

・1は，$\frac{2}{2}$, $\frac{3}{3}$, $\frac{4}{4}$, …と書ける。

・0は，$\frac{0}{2}$, $\frac{0}{3}$, $\frac{0}{4}$, …と書ける。

・1も分数で表せるから，もっと線を延ばすことができる。

④ **分数の合成分解**

・両端の分子同士の数をたすと分母の数になる。

〈例〉 $\frac{1}{3} + \frac{2}{3} = \frac{3}{3} = 1$　　　$\frac{1}{4} + \frac{3}{4} = \frac{4}{4} = 1$

参考 分数には，次のようなものがある。

・単位分数　　分子が1で何等分したかを示す分数

・真分数　　　分子が分母より小さい分数

・仮分数　　　分子が分母と等しいか，分子が分母より大きい分数

・帯分数　　　整数と真分数の和になっている分数

7 立方体であそぶ

(1) 立方体を切り開く

立方体は，切り開く辺が違うといろいろ
な展開図がつくれる。いろいろな展開図を
つくろう。

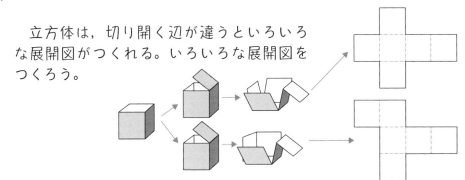

考えてみよう

1 立方体の展開図になっているのはどれか。

① ② ③

2 立方体の展開図をつくりたい。
右の図のどこに面をつけ加えると
展開図ができるか。下の図に書き
入れよう。

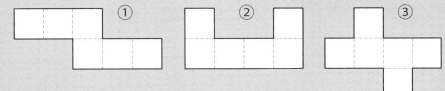

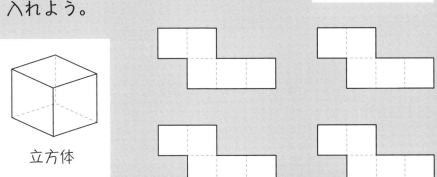

立方体

解答

1

②は立方体の展開図になっていない。
②の展開図を考えるとき， **ⓐ** を固定して， **ⓑ** を移動して考えるとよい。ア～エが立方体の展開図になることがわかる。

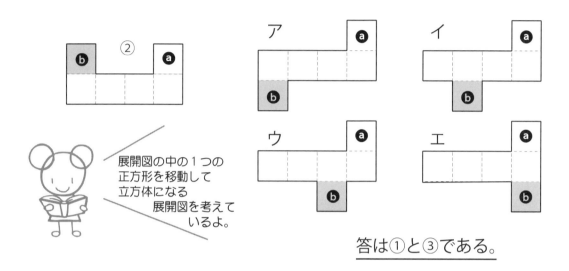

展開図の中の１つの
正方形を移動して
立方体になる
展開図を考えて
いるよ。

答は①と③である。

2

次の４通りが考えられる。

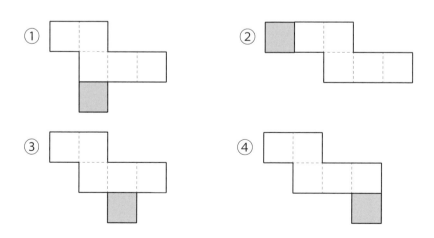

(2) 立方体の切り口の形は？

1 立方体を，次の3点P，Q，Rを通る平面で切った
ときの切り口は，どのような形になるか考えよう。

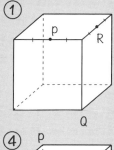

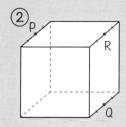

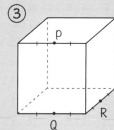

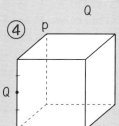

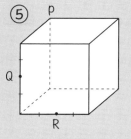

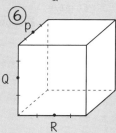

2 右の図の立方体で，点Mは
辺ADの中点である。点Mから辺
AE上の点を通り，この立方体の
表面にそって頂点Fまでいくとき
の最短の道のりを，展開図に書き
入れよう。

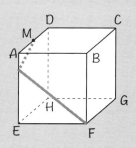

解答

1

① 二等辺三角形　　② 正方形　　③ 長方形

④ ひし形　　⑤ 五角形　　⑥ 正六角形

⑤と⑥を図示すると

⑤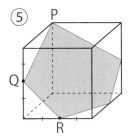

⑥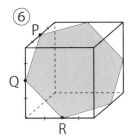

2

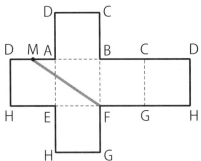

ＢＤもＢＥも
正方形ＡＢＣＤと
正方形ＡＥＦＢ
の対角線である。
展開図や投影図をかいて
ＢＤ＝ＢＥを説明すれば
良いよ。

 いっぷく

　右の図は立方体の見取図である。いさおさんは，この図を見て「線分ＢＤの長さは線分ＢＥより短い」と言った。あなたはそうでないことをどのように説明するか。

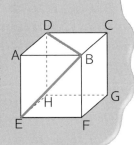

7 立方体であそぶ

(3) 展開図がいくつできる

1つの立方体の展開図をもとに新しい展開図をつくることを考えてみよう。

〈例〉正方形が4つ並んでいる場合

①の辺を切って■を左へまわす

②の辺をくっつける

展開図で正方形がいくつ並んでいるかに着目するとおもしろいよ。

考えてみよう

1 立方体の展開図は全部で11種類できる。正方形が4つ，3つ，2つ横に並んでいる場合を考えて，新しい立方体の展開図を考えてみよう。

① 正方形が4つ並んでいる場合（6種類）

② 正方形が3つ並んでいる場合（4種類）

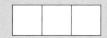

③ 正方形が2つ並んでいる場合（1種類）

解答

1

① 正方形が４つ並んでいる場合（６種類）

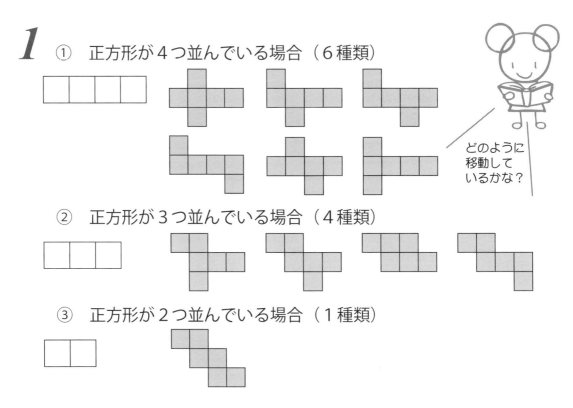

どのように
移動して
いるかな？

② 正方形が３つ並んでいる場合（４種類）

③ 正方形が２つ並んでいる場合（１種類）

参考　下の３つの展開図をもとにすると，１つの正方形を移動してすべての
展開図が見つけられる。
① 正方形が４つ並んでいる場合

② 正方形が３つ並んでいる場合

③ 正方形が２つ並んでいる場合

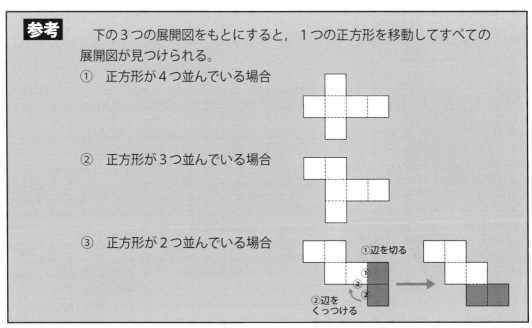

①辺を切る

②辺を
くっつける

7 立方体であそぶ

(4) 展開図に色を塗り分ける

1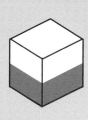

　左の図のような下半分を塗り分けた立方体がある。①図は、この立方体の展開図の1つである。②〜⑪の展開図が①の展開図になるように、それぞれ塗り分けよう。

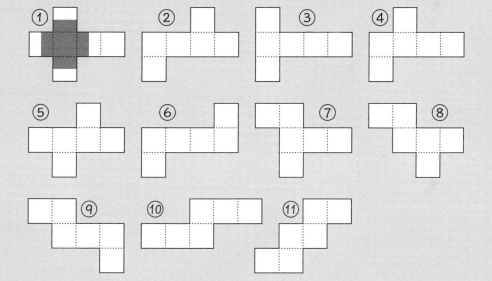

2

　左のような塗り分けた立方体がある。前問の①〜⑪の展開図に色を塗り分けよう。

解答

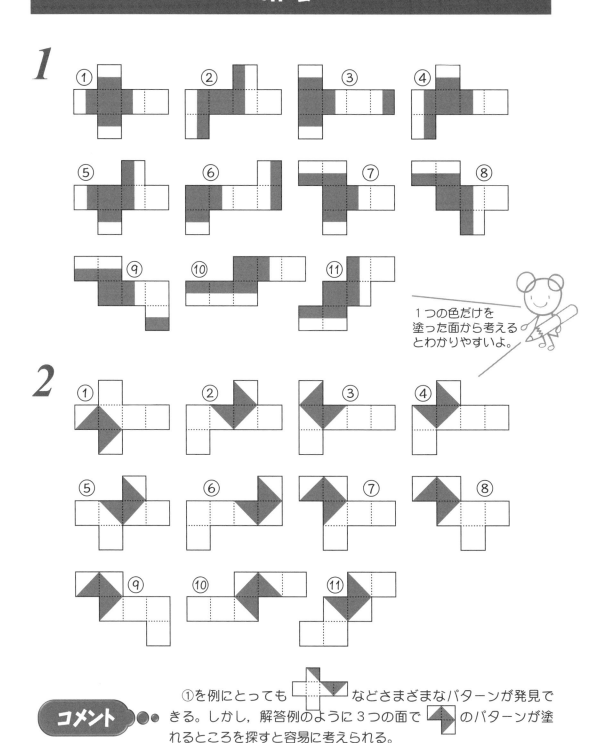

1つの色だけを
塗った面から考える
とわかりやすいよ。

コメント ●● ①を例にとっても ⬜️ などさまざまなパターンが発見できる。しかし，解答例のように３つの面で ⬛️ のパターンが塗れるところを探すと容易に考えられる。

7 立方体であそぶ

(5) サイコロをつくる

　　サイコロの目は，平行な面に書かれた数の和が7になっている。サイコロをつくることを考えてみよう。

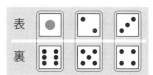

考えてみよう

1　①〜④のサイコロの展開図にサイコロの目を書き入れよう。

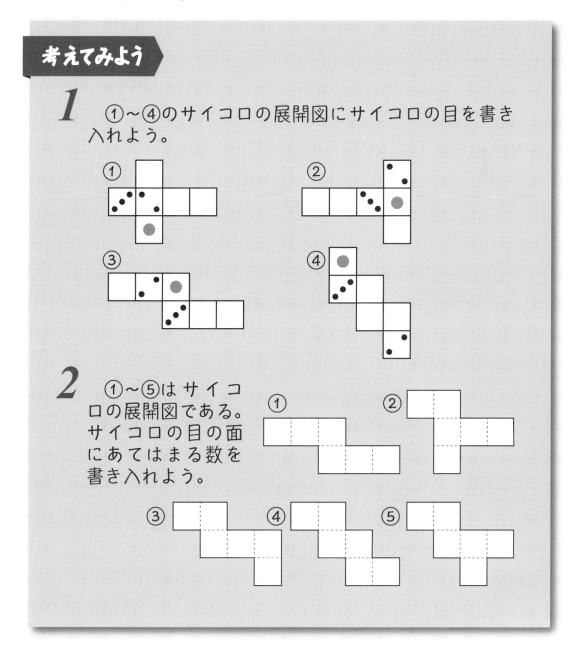

2　①〜⑤はサイコロの展開図である。サイコロの目の面にあてはまる数を書き入れよう。

解答

1

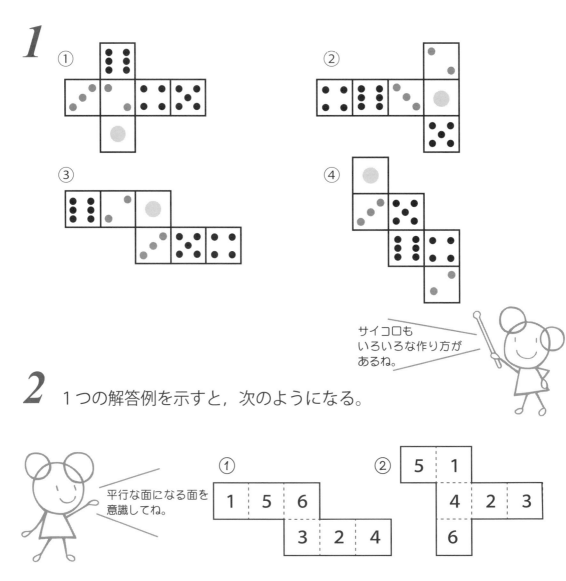

サイコロも
いろいろな作り方が
あるね。

2 1つの解答例を示すと，次のようになる。

平行な面になる面を
意識してね。

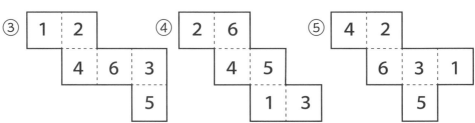

7 立方体であそぶ

(6) いくつ積んである？

立方体の積み木を積み重ねたものを，2方向から見ると，右の図のようになる。立面図では，前列から奥へ何列並んでいるか分からない。また，平面図では，何段積んであるのか分からない。

正面から見た図　真上から見た図
（立面図）　　　（平面図）

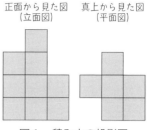

図1　積み木の投影図

考えてみよう

図1の投影図を右のア，イの見取図を参考にして，積み木が全部でいくつ積んであるのか考えてみよう。平面図から，積まれている場所はウの図のように6ケ所ある。

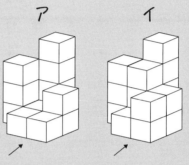

1 ウの図の①〜⑥の場所には，積み木が最大何段積まれていると考えられるか。

2 ②の場所には，積み木が何段積んであると考えられるか。

⑥の場所には，積み木が最小で何段，最大で何段積んであると考えられるか。

3 平面図の他の場所①，③，④，⑤についても，積み木は最小で何段，最大で何段積んであると考えられるかを調べよう。

使っている積み木は，全部で何個以上，何個以下になると考えられるか。

解答

1

各場所の最大段数を求めると，右図の数字のようになる。その合計が，全部で使われている積み木の最大数になる。最大の積み木の数は１９個である。

2

②の場所には，３段
⑥の場所には，最小で１段，最大で２段

アの図が
最小の場合の
一例だよ。

3

ウの図で，積み木の個数は，

平面図ウ	最小	確定数	最大
①	１個		４個
②		３個	
③	１個		４個
④	１個		２個
⑤	１個		４個
⑥	１個		２個

最小個数の例
①４個，②３個，③１個，
④２個，⑤１個，⑥１個
最大個数の例
①４個，②３個，③４個，
④２個，⑤４個，⑥２個

答　使っている積み木は，全部で
　　１２個以上，１９個以下

コメント ●●●
最小の場合は，最大の場合のように，各場所の最小段数を求めてその合計が答というわけにはいかない。なぜなら，立面図に表現されている段数の場所が，少なくとも１ケ所は正面から見て中央，右の各列にあるからである。逆に，１ケ所だけをその段数にして，残りをすべて最小の１段にした場合が，全部で使われている積み木の最小数となる。

7 立方体であそぶ

1
十の字に交わるように，箱にリボンをかける。リボンの通る直線を下の展開図に書き入れよう。

① 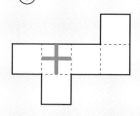　② 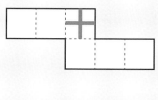　③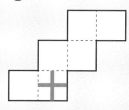

2
1 cm³ の立方体を，縦，横に3個ずつ，3段に積み重ねて，1つの立方体をつくり，できた立方体の6つの表面全部に，色を塗った。

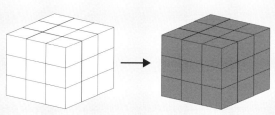

①，②，③，④の立方体は大きな立方体のどこに積まれているかな？

この立方体を，もとの1 cm³ の立方体にくずすと，次のような立方体がそれぞれいくつあるか求めよう。

① 3つの面に，色が塗られている立方体

② 2つの面に，色が塗られている立方体

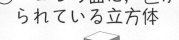

③ 1つの面に，色が塗られている立方体

④ どの面にも，色が塗られていない立方体

解答

1

① ② ③

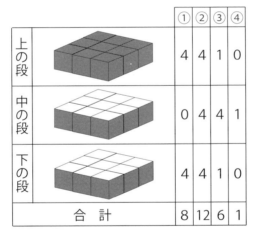

2

立方体の数を，上，中，下の３段について調べ，次の表に書き入れて求めるとよい。

		①	②	③	④
上の段		4	4	1	0
中の段		0	4	4	1
下の段		4	4	1	0
合　計		8	12	6	1

積み木は全部で何個あるかで正しいかどうか確かめてみよう。

① ３つの面に，色が塗られている立方体

８面

② ２つの面に，色が塗られている立方体

１２面

③ １つの面に，色が塗られている立方体

６面

④ どの面にも，色が塗られていない立方体

１面

8 角の大きさを考える

(1) この図形の内角の和は？

三角形の内角の和は１８０°である。これを使って，多角形の内角の和を求めてみよう。

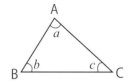

考えてみよう

1

五角形の内角の和の求め方を考えてみよう。

右の図の五角形を三角形に分けて，内角の和を求めてみよう。三角形の分け方をいろいろ工夫してみよう。

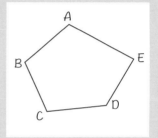

2

前問の考え方を使って，六角形，七角形，八角形の内角の和を求めてみよう。

また，n 角形の内角の和は何度になるか，考えてみよう。

参考

右の図の∠ＢＡＰのように，１つの辺と，となりの辺の延長とがつくる角を，その頂点における**外角**という。

また，∠ＢＡＥ，∠ＡＢＣなどを**内角**という。

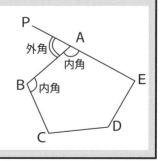

解答

1

① 五角形の１つの頂点から出る対角形で，いくつかの三角形に分けることを考える。
- 三角形が３つできるので
$$180 \times 3 = 540$$
  答　５４０°

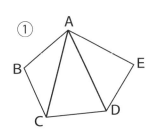

② 五角形の辺上の１つの点Oから頂点にひいて，いくつかの三角形に分けることを考える。
- 三角形が４つできるが，余分な角１８０°をひいて
$$180 \times 4 - 180 = 540$$
  答　５４０°

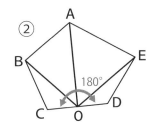

③ 五角形の内部の１つの点Oから頂点にひいた線分で，いくつかの三角形に分けることを考える。
- 三角形が５つできるが，余分な中央の角３６０°をひいて
$$180 \times 5 - 360 = 540$$
  答　５４０°

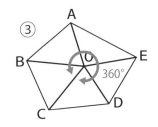

2

前問の③の考え方で求めると，n 角形の内角の和は　$180(n-2)$ となる。

三角形に分けるための頂点の取る考え方わかるかな？
①五角形の頂点
②五角形の辺上
③五角形の内部
だよ。

	三角形の数	求め方	内角の和
六角形	6	180°×6−360°	720°
七角形	7	180°×7−360°	900°
八角形	8	180°×8−360°	1080°
n 角形	n	180°×n−360°	$180(n-2)$

8 角の大きさを考える

(2) この図形の外角の和は？

考えてみよう

1 五角形の外角の和を考えてみよう。

① 五角形の内角の和は何度か。

② 1つの頂点で，外角と内角の和は何度になっているか。

③ ①,②を使って五角形の外角の和を求めてみよう。

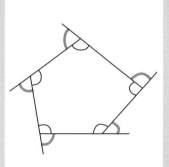

2 n 角形の外角の和を 1 の考え方を使って求めてみよう。

3 下の図で，$\angle x$ の大きさを求めてみよう。

① ② ③

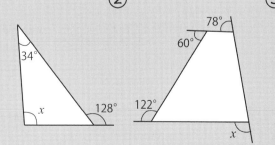

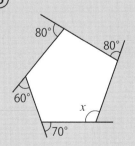

解答

1 五角形の場合
① 五角形の内角の和は

$$180 \times (5-2) = 540$$

答　540°

② 180°（このような頂点が5つある）

③ 五角形の外角の和は

$$900 - 540 = 360$$

答　360°

900は
180×5から
求めているよ。

2 n 角形の場合
① n 角形の内角の和は

$$180 \times (n-2)$$

② 180°（内角の和と外角の和）になる頂点が n 個ある。

③ $180n - 180 \times (n-2)$

$= 180 \times 2$

$= 360$

答　どんな多角形も
360° という
ことになる

四角形

六角形

3
① $128 - 34 = 94$　　答　94°

② $360 - (78 + 60 + 122) = 100$　　　答　100°

③ ∠x の外角の大きさを求めると

$$360 - (80 + 60 + 70 + 80) = 70$$

∠x は

$$180 - 70 = 110$$　　答　110°

8 角の大きさを考える

(3) 角の大きさの求め方いろいろ

考えてみよう

1
右の図で，$\ell /\!/ m$ のとき $\angle x$ の大きさを求めてみよう。求め方をいくつか考えてみよう。

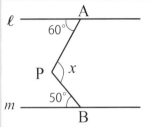

2
1の問題の P の位置を変えて問題をつくってみよう。そのとき，$\angle a$，$\angle b$ の大きさは適当な大きさに変え，$\angle x$ が何度になるか考えてみよう。

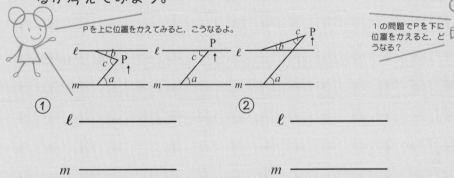

① ℓ ——————

    m ——————

② ℓ ——————

    m ——————

3
1の問題の ℓ の位置を変えて（$\ell /\!/ m$ を変える）問題をつくってみよう。そのときの $\angle x$ の大きさを求めよう。なお，このときの６０°，５０°の角は適当な大きさに変え，図で表してみよう。

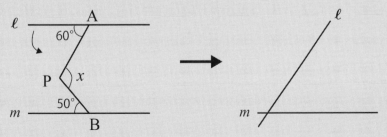

解答

1

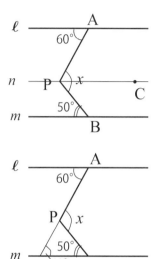

（その1）

ℓ と m に平行な直線 n を引き，n 上の1点を C とすると

∠APC＝60°　（平行線の同位角）

∠BPC＝50°　（平行線の同位角）

∴∠APB＝110°

（その2）

AP を延長して m との交点を C とすると

∠PCB＝60°　（平行線の同位角）

∠PCB＋∠PBC＝∠APB より

∠APB＝110°

2

① 角の大きさが 50° と 40°になるように，点Pの位置を変えると

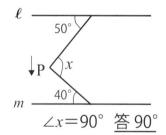

$∠x＝90°$　答 90°

② 点Pを直線 m の下側に動かして，角の大きさが 70° と 30° になるように点Pの位置を変えると

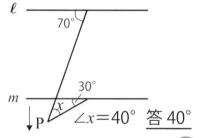

$∠x＝40°$　答 40°

3

直線 ℓ の位置を直線 m と平行にならないように変えると，

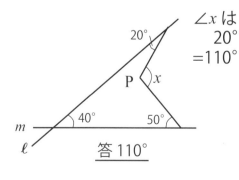

$∠x$ は
　　20°＋40°＋50°
＝110°

答 110°

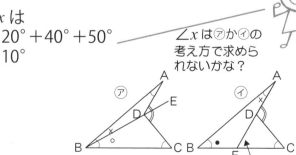

$∠x$ は㋐か㋑の考え方で求められないかな？

- 90 -

8 角の大きさを考える

活用してみよう

1 右の図で,
∠ＡＤＣ＝∠Ａ＋∠Ｂ＋∠Ｃ
が成り立つ。このことを使っ
て，次の①〜④の角の和を求
めよう。

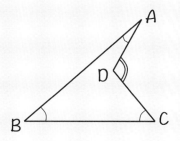

①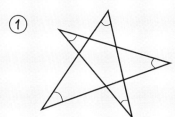

②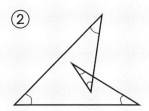

③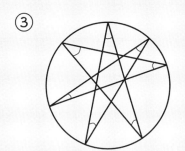

④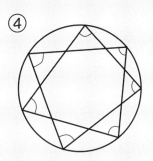

2 長方形の紙を，下の図のように折った。それぞれ
について，∠x の大きさを求めよう。

①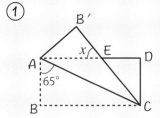

②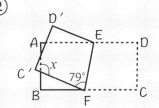

解答

1

①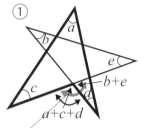

$\angle b + \angle e$ のところに $a + c + d$

ここに角を集めると
$\angle a + \angle b + \angle c + \angle d + \angle e$
$= 180°$

答 180°

② c, e, d, a, b の三角形

ここに角を集めると
$\angle a + \angle b + \angle c + \angle d + \angle e$
$= 180°$

$a + b + c$

$e + d$

答 180°

例示した関係が
使えるね。

③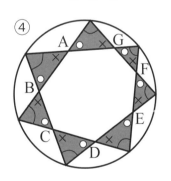

$c + g$

$b + f$

$a + d + e$

この塗りつぶした三角形に角を集めることを考
えると
$\angle a + \angle b + \angle c + \angle d + \angle e + \angle f + \angle g$
$= 180°$

答 180°

④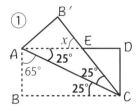

・七角形 ABCDEFG の外角の和は, ○印と × 印
の 2 組あるから
$360 \times 2 = 720°$
・塗りつぶした三角形が 7 組あるから, その
内角の和は
$180 \times 7 = 1260°$
・したがって, 求める 7 つの角の和は
$1260 - 720 = 540°$

答 540°

2

①

$\angle x = 25° + 25° = 50°$

答 50°

②

22° は直線 B C
で考えているよ。

$\angle x = 90° + 22° = 112°$

答 112°

9 図形を変身させる

(1) 円を長方形に変身！

円を等分して，円を切って並び替えることを考えてみよう。

考えてみよう

1
① 8等分した円を切って並び替えている。並び替えた形は何にみえるか。
② 16等分すると何の形のようにみえてくるか。
③ 32等分すると何の形にみえてくるか。
④ 円をどんどん細かく等分して並べ替えていくと，どんな形になっていくと考えられるか。

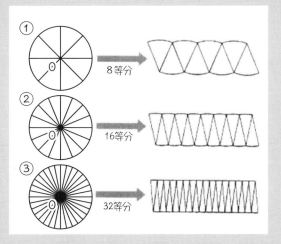

2
① 円をどんどん細かく等分して④の形になっていくと考えると，辺のたて〔ア〕，よこ〔イ〕の長さは円のどの長さになると考えられるか。
② 円を長方形に変身させたと考えて，円の面積を求める公式を考えてみよう。円周率はπとしよう。

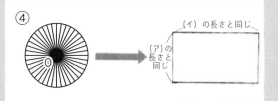

円周率π（円の直径に対する円周の長さの比率）は一定で約3.14と分かっているよ。

解答

1

① 平行四辺形のような形になっている。

② 平行四辺形のようにみえる。でも，上下の辺は直線ではない。

③ 長方形のようにみえる。でも，上下の辺は直線ではない。

④ 上下の辺のでこぼこがなくなっていく。
形は，だんだん長方形になっていく。

2

① （ア）円の半径　　（イ）円周の半分 $\left(\dfrac{1}{2}\right)$

② 長方形の面積＝縦 × 横だから

円の面積＝半径 × $\left(円周 × \dfrac{1}{2}\right)$

$\qquad$ ＝半径 × $\left(\underset{円周}{\underline{直径 × 円周率}} × \dfrac{1}{2}\right)$

直径は 2 × 半径だから

$\qquad$ ＝半径 × 半径 × 円周率

（公式）円の面積を S，半径を r とすると

$\qquad$ $S = \pi r^2$

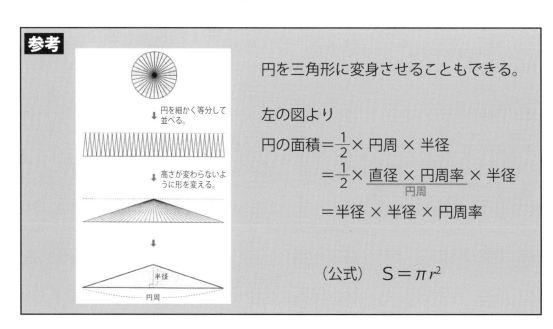

参考

円を三角形に変身させることもできる。

左の図より

円の面積＝$\dfrac{1}{2}$× 円周 × 半径

$\qquad$ ＝$\dfrac{1}{2}$× $\underset{円周}{\underline{直径 × 円周率}}$ × 半径

$\qquad$ ＝半径 × 半径 × 円周率

（公式）　$S = \pi r^2$

円を細かく等分して並べる。

高さが変わらないように形を変える。

半径
円周

9 図形を変身させる

(2) 台形を三角形に変身！

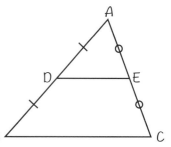

　右の三角形ＡＢＣの２辺ＡＢ，ＡＣの中点を
それぞれＤ，Ｅとすると
　　ＤＥ／／ＢＣ，ＤＥ＝$\frac{1}{2}$ＢＣ
である。
　この性質を使って，台形と三角形の面積を
台形を三角形に変身させて，台形の面積を求めることを考えてみよう。

考えてみよう

1　図1の台形ＡＢＣＤのＡＢ，ＤＣの中点
をＭ，ＮとするとＭＮの長さはどのように
表されるか。また，その長さの意味を考
えてみよう。

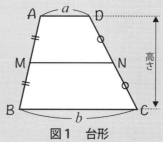

図1　台形

2　図2のように上底と下底の和を変えなければ台形の面積は変わ
らない。台形を図2のように動的に変身させて，台形と三角形の
ＭＮの関係を考えてみよう。

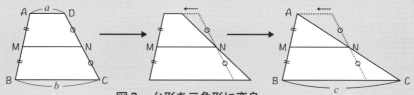

図2　台形を三角形に変身

3　$\frac{上底＋下底}{2}＝d$，高さを h で表すと①，②の面積を d, h を用
いて表してみよう。このことからどんなことが言えるか考えてみ
よう。

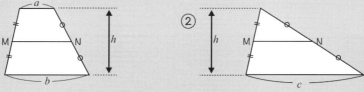

解答

1

右の図において
△ABC において
$$MO = \frac{1}{2}BC = \frac{1}{2}b$$
△ACD において
$$ON = \frac{1}{2}AD = \frac{1}{2}a$$
したがって
$$MN = \frac{1}{2}BC + \frac{1}{2}AD$$
$$= \frac{1}{2}(a+b) \quad \cdots(i)$$
MN は AD と BC の和の半分
すなわち，上底と下底の和の平均である。

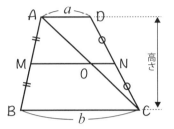

2

この変身の仕方は，台形の上底と下底の和（$a+b$）を変えていないから
・台形 ABCD の MN の長さは $\frac{1}{2}(a+b)$
・三角形 ABC の MN の長さは $\frac{1}{2}c$
　MN の長さは台形から三角形に変わっても等しいから
$$\frac{1}{2}(a+b) = \frac{1}{2}c \quad \cdots(ii)$$

3

・台形の面積①は
$$\frac{(上底＋下底) \times 高さ}{2} \quad \left(\frac{(a+b) \times h}{2}\right)$$
(i)より側辺の中点 MN の長さ $\dfrac{a+b}{2}$ を d を用いて面積を表すと
$$d \times h$$

・三角形の面積②は
　底辺 × 高さ ÷ 2 $\quad \left(\dfrac{c \times h}{2}\right)$
(ii)より側辺の中点 MN の長さ $\dfrac{c}{2}$ を d を用いて面積を表すと
$$d \times h$$

・台形でも三角形でも側辺の中点の長さに高さをかければ面積を求めることができるといえる。

（側辺の中点の長さ）× 高さ＝面積

9 図形を変身させる

(3) 折り紙で図形を折る

2辺が等しい三角形を二等辺三角形，3辺が等しい三角形を正三角形，向かい合う2辺がそれぞれ平行な四辺形を平行四辺形，4辺が等しい四角形をひし形という。

考えてみよう

1 折り紙を使って，二等辺三角形，正三角形，平行四辺形，ひし形をつくってみよう。ただし，折り目にそって切ってもよい。

① 二等辺三角形

② 正三角形

③ 平行四辺形

④ ひし形

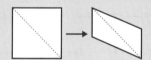

2 折り紙を下の図のように折ると，きれいな正三角形ができる。なぜ正三角形になるか説明しよう。

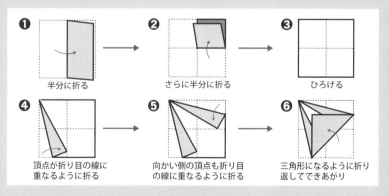

❶ 半分に折る
❷ さらに半分に折る
❸ ひろげる
❹ 頂点が折り目の線に重なるように折る
❺ 向かい側の頂点も折り目の線に重なるように折る
❻ 三角形になるように折り返してできあがり

解答

1

① 二等辺三角形〈例〉

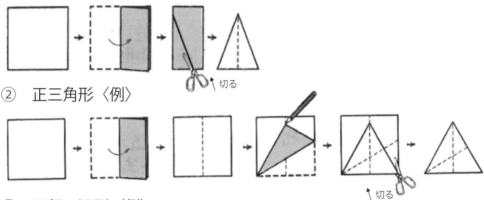

② 正三角形〈例〉

③ 平行四辺形〈例〉

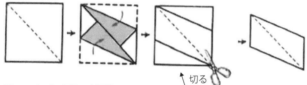

④ ひし形〈例〉

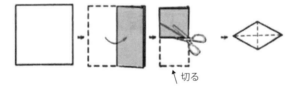

2

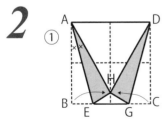

①

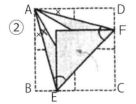

②

①の図で AE は頂点 H が折り目の線に重なるように折っている。また，DG も同じように折っている。
△AHD において
AB＝AH
DC＝DH
AB＝DC より
AH＝DH＝AD
で正三角形である
∴∠HAD＝60°
…①

四角形 ABEH は AE について 線対称であるから
∠BAE＝∠HAE
∠BAD＝90°
∠HAD＝60°
より
∠BAE＝15° …②

②の図で同様にして
∠DAF＝15°
…③になる。
△AEF において
AC について 線対称になっているから
AE＝AF
②，③より
∠EAF は 60° となり
△AEF は正三角形である。

9 図形を変身させる

(4) これ一筆で書ける？ －その1－

線から鉛筆をはなさず同じ線を1回しか通らずに形を書くことを一筆書きという。

考えてみよう

1 下の図で一筆で書けるのはどの形で，一筆で書けないのはどの形か。実際に書いて調べてみよう。

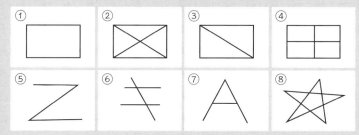

2 一筆書きができる図の頂点を，始点，終点，途中の点に分けて，その特徴を調べてみよう。

① 途中の点では，はいってくれば，必ず出ていくので，その点から出る線は偶数本である。（このような点を偶数点とよぶことにする。）

② 始点と終点が同じとき，その点は偶数点になる。

③ 始点と終点が同じでないとき，始点は奇数本の線が出る奇数点になり，終点も奇数点になる。

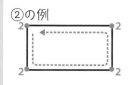

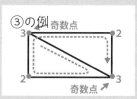

①〜③のことを使って，一筆書きができる図かどうか，判断する方法を考えてみよう。1の①〜⑧の図の偶数点，奇数点を調べ，一筆書きできる図かどうか考えてみよう。また，一筆書きできる図を書いてみよう。

解答

1

一筆で書ける形

① すべて偶数点

③ 奇数点2
　 偶数点2

⑤ 偶数点2
　 奇数点2

⑧ 偶数点10

一筆で書けない形

② 偶数点1
　 奇数点4

④ 偶数点5
　 奇数点4

⑥ 偶数点2
　 奇数点6

⑦ 偶数点1
　 奇数点4

実際に書いて調べたかな。
偶数点，奇数点についても調べてね。

2

1の偶数点，奇数点を調べた結果，一筆書きができる図は，次の1，2のどちらかである。

> 1．すべての点が偶数点
> 2．2つの点だけが奇数点で残りの点は偶数点である。

一筆書きできる図

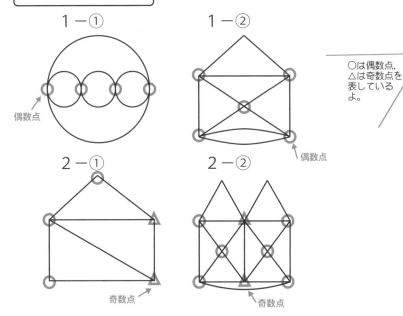

1－① 偶数点
1－②偶数点
2－① 奇数点
2－② 奇数点

○は偶数点，
△は奇数点を表しているよ。

9 図形を変身させる

(4) これ一筆で書ける？ －その2－

3 昔, ヨーロッパの ケーニヒスベルクと いう町には, 右のよ うに7つの橋がか かっていた。

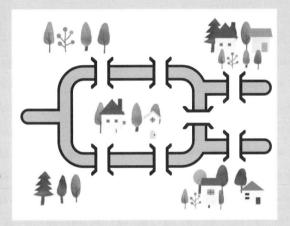

同じ橋を1回しか 通らずに, すべての 橋を通る方法がある か話題になった。

これが「ケーニヒスベルクの橋の問題」という有名な問 題である。

この問題をスイスの数学者オイラーが一筆書きの考え方 で解決した。

この問題を, 次の手順で考えてみよう。

① オイラー (1707～1783年) は, この問題を考えるの に川で仕切られた4つの場所を点に変え, 橋を線に変 えて図にした。この図の上で一筆書きできるかどうか 調べた。どんな図になるか考えてみよう。

② この点の偶数点, 奇数点に着目して, すべての橋を通 ることができるかどうか考えてみよう。

4 偶数点, 奇数点に着目して, 一筆書きで書けるおもしろ い図をいくつか書いてみよう。

解答

3

① 4つの場所 A, B, C, D を点に橋を線に変えて表すと, 下の図のようになる。

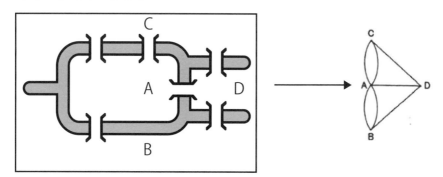

② 各点から3本または5本の線が出ていて, すべて奇数点なので, 同じ橋を1回しか通らずに, すべての橋を通ることはできない。

4

例を示すと, 次のような図形が書ける。

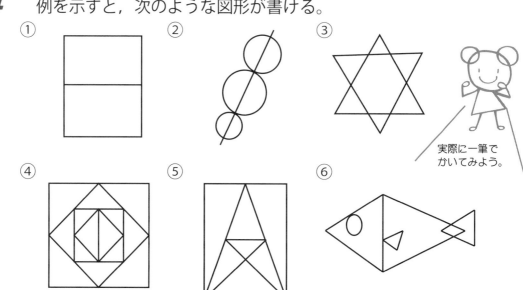

実際に一筆で
かいてみよう。

9 図形を変身させる

活用してみよう ①

1

① おうぎ形の面積を半径 r，弧の長さ ℓ を使って求めることができる。下の図を参考にして考えてみよう。

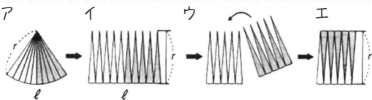

ア　イ　ウ　エ

② ①で考えた式を使って底面の半径が 3 cm，母線が 8 cm の円錐の側面積を求めてみよう。また，弧ＡＢの長さ，中心角∠ＡＯＢの大きさも求めてみよう。

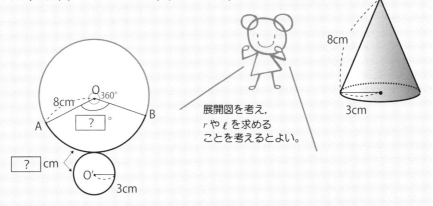

8cm

3cm

展開図を考え，
r や ℓ を求める
ことを考えるとよい。

2

9 の (2) の考え方を使って，道幅の一定の曲がった道の面積は，どのように求められるか考えてみよう。

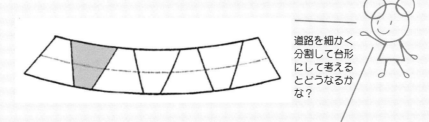

道路を細かく
分割して台形
にして考える
とどうなるか
な？

解答

1

① アからエに変身させると,おうぎ形が長方形になると考えられる。
縦＝r, 横＝$\frac{1}{2}\ell$ となるので
おうぎ形の面積 S は S＝$\frac{1}{2}\ell r$で求められる。

② 弧 AB の長さは円 O′ の
円周の長さに等しく,
その半径は 3 cm なので
　　弧 AB＝2π×3
したがって
　　S＝$\frac{1}{2}$(2π×3)×8
　　　＝24π
　　　　　答　24π (cm²)

弧 AB の長さは
　2π×8＝16π
中心角∠AOB は
　$\frac{2\pi \times 3}{2\pi \times 8}$×360°＝135°

答　弧 AB は 16π (cm)
　　中心角は 135°

2

9 の (2) の考え方を使うと
　台形の面積は側辺の中点の長さ$\frac{a+b}{2}$に
高さ h をかけて求められるということから
　　S＝$\left(\frac{a+b}{2}\right)$×$h$
したがって,図のように道を細かく台形に
分割して考えると,道路の幅は一定なので,
　点線の長さ(側辺の中点の通った線)× 道幅(高さ)
で道路の面積が求められる。

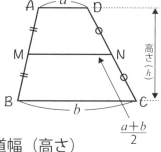

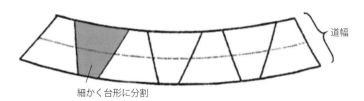

細かく台形に分割

道路の面積は
答　(点線の長さ)×(道幅)で求められる

9 図形を変身させる

3

右の図は，P 地点にある警察署周辺の道路図である。これらすべての道路のセンターラインのぬりなおしを計画している。

もっとも短い道のりを移動してぬりなおすには，警察署 P から出発して，どのようなコースを通ればよいか考えてみよう。

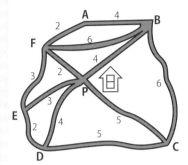

数値は 2 地点間の道のり (km)

4

下の図は，一筆書きができるか考えてみよう。

① 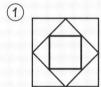　② 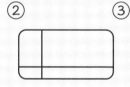　③ 　④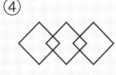

最初に，一筆書きができるかどうか判断した後，できる図は実際に書いてみよう。

5

正方形の紙を半分に折って折り目を作り，右のように角を合わせて折った。A，B，C を結んでできた三角形は，何という三角形になるか，∠ABD の角は何度になるか考えてみよう。

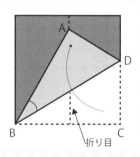

折り目

解答

3　右の図のすべての道路が一筆書きができれば，もっとも短い道のりになる。

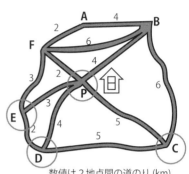

数値は2地点間の道のり (km)

　そこで，出発点，終わりの点をどちらもPとしたとき，どうなるか考えたい。一筆書きができる図にするためには，4つの奇数点P，C，D，Eのうち，2組を結ぶ道路をつけ加える必要がある。PEとDCを結ぶか，EDとPCを結べば一筆書きができる図になる。そこで，つけ加える道路の長さの和が，どちらが短いかで判断すればよい。

　答は，EDとPCを2回通ることにすればよい。
例えば，
答　P→E→D→C→B→A→F→B
　　→P→F→E→D→P→C→P　の順に通ればよい。

4

①

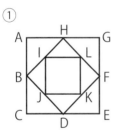

〈例〉
A→B→C→D→E→F
→G→H→I→B→J→
D→K→F→L→I→J
→K→L→H→A

③

A　　　　　E
　　　F
B　　　　　D

　　　C

〈例〉
A→B→C→D→E→A
→F→D→B→F→E

④

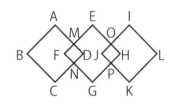

〈例〉
A→B→C→N→D→M
→F→N→G→P→H→
O→J→P→K→L→I
→O→E→M→A

答　一筆書きができる図　①, ③, ④

5　折り目で線対称になっているから
AB＝AC，AB＝BC より　AB＝BC＝AC　したがって正三角形
答　正三角形　∠ABD＝30°

10 図形を分解，移動する

(1) 同じ大きさに分ける

考えてみよう

1 右のような長方形に1本の
直線をかいて，同じ面積にな
るように2つに分けたい。ど
こに直線をかけばよいか，5
通り考えてみよう。

　1つの長方形に考えた5通
りの直線をかき，長方形の面積を二等分するすべて
にいえる直線の引き方を考えてみよう。

 それぞれ考えた5本の直線を1つの長方形
にかいてみると何が見えてこないかな？
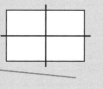

2 右のような長方形を組み合
わせた形に，1本の直線をか
いて，同じ面積になるような
分け方を考えてみよう。

 1で考えた引き方の考えを
使おう。

解答

1

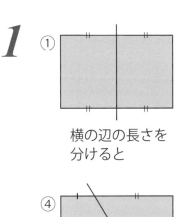

① 横の辺の長さを
分けると

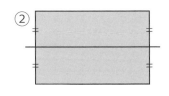

② 縦の辺の長さを
分けると

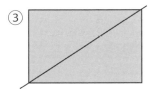

③ 対角線で分けると

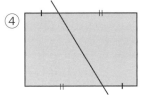

④ こんな分け方は
どうかな

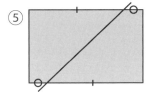

⑤ こんな分け方も
あるよ

長方形の対角
線の交点を通
れば，長方形
の面積を二等
分するんだね。

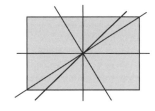

①～⑤は，すべて長方形の対角線の
交点を通っている

2

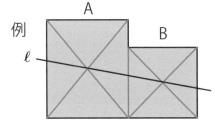

例

A

B

ℓ

図形を A，B 2つの長方形に分
けて考える。
直線 ℓ は A の長方形，B の長方
形のそれぞれの対角線の交点を
通っているから A，B それぞれ
の長方形を二等分している。

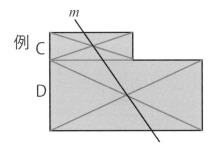

例

m

C

D

図形を C，D 2つの長方形に分
けて考える。
直線 m は C の長方形，また D
の長方形の対角線の交点を通っ
ているから C，D それぞれの長
方形を二等分している。

10 図形を分解, 移動する

(2) 分けて長さを考える

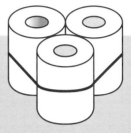

考えてみよう

トイレットペーパーの結び方を考えてみよう。

1 図のような直径１０ cm の４つのトイレットペーパーをひもで結ぶとき，ひもの長さは何 cm あればよいか考えてみよう。結び目は考えないものとする。円周率は，3.14 として計算しよう。

2 ① ６つのトイレットペーパーを結ぶとき，図以外の並び方を２通り考えてみよう。

② 考えた結び方のひもの長さは何 cm あればよいか考えてみよう。結び目は考えないものとする。円周率は，3.14 として計算しよう。

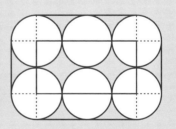

 ４つの場合は
こんな並び方が考えられるよ。

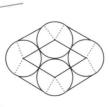

解答

1

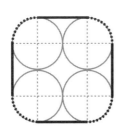

この場合
（太線）直径4つ分　10×4＝40
（点線）円周1つ分　10×3.14＝31.4

40＋31.4＝71.4　　答　71.4 cm

円周の部分を分けて考え，集め
ると1つの円周になるよ。

2

① 〈その1〉　　　　　　　　　　〈その2〉

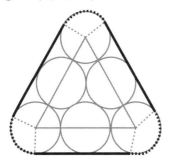
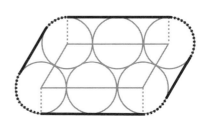

② 〈その1〉　　　　　　　　　〈その2〉
　直径が6つ分　　　　　　　　直径が6つ分
　円周1つ分　　　　　　　　　円周1つ分

並べ方を違えても
どれも結ぶ長さは同じになる
10×6＝60
10×3.14＝31.4
　　答　91.4 cm

おもしろいね。

(3)　分けて大きさを考える

考えてみよう

1　下の図の塗りつぶした部分の面積を求めてみよう。図形の一部を分けて考え，円周率は 3.14 として計算しよう。

①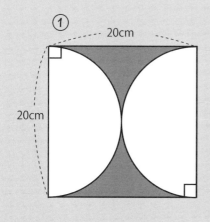

20cm

20cm

②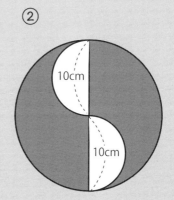

10cm

10cm

③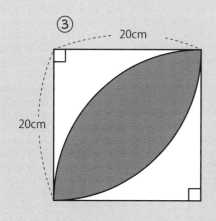

20cm

20cm

③の図形の面積は，いくつかの考え方で求めてみよう。

円周率とは円の直径に対する長さの比率のことだよ。無限の小数になるからπで表すこともあるよ。

解答

1

① 1辺が20cmの正方形の面積から半径が10cmの円の
面積を引けばよい。

$20 \times 20 = 400$

$10 \times 10 \times 3.14 = 314$

$400 - 314 = 86$ 答　86 cm²

② 半径が10cmの円の面積から半径が5cmの円の面積を
引けばよい。

$(10 \times 10 \times 3.14) - (5 \times 5 \times 3.14) = 235.5$ 答　235.5 cm²

③

考え方1

考え方2

考え方3

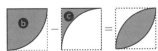

考え方4

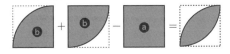

「考え方1」〜「考え方4」
を効率性の視点から「考え
方4」にまとめると良いね。

考え方4で求めると

b の面積　$20 \times 20 \times 3.14 \div 4 = 314$

a の面積　$20 \times 20 = 400$

$314 \times 2 - 400 = 228$

答　228cm²

10 図形を分解，移動する

(4) 動かして大きさを考える

　ある図形の面積を求めるとき，複雑に見える図形でも図形の一部を移動することにより，簡単な図形に変身させ面積を求めることができる場合がある。

考えてみよう

1　下の図の正方形の塗りつぶした部分の面積を求めてみよう。どのように移動して考えたのかも図示しよう。円周率は 3.14 としよう。

①
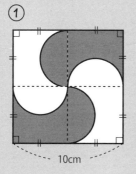
10cm

②
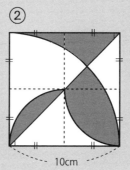
10cm

2　右の図1で，正方形ABCDの各辺の中点をE，F，G，Hとしたとき，塗りつぶした部分の面積が等しい図を，下のア，イの中から選び，どのように考えたかも図示しよう。

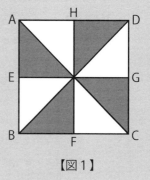

【図1】

ア
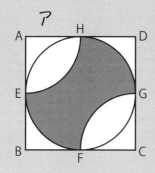

イ
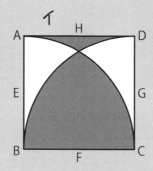

解答

1

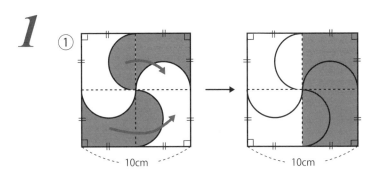

① 右の図のような
長方形になるから
$10 \times 5 = 50$

答　$50\ \text{cm}^2$

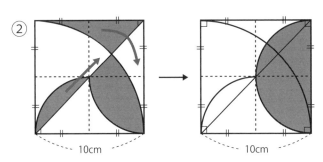

② 半径5cmの半円
になるから
$5 \times 5 \times 3.14 \div 2 = 39.25$

答　$39.25\ \text{cm}^2$

2

図1の塗りつぶした部分の面積は正方形ABCDの面積の半分になる。したがって，ア，イが，正方形ABCDの面積の半分の大きさになるかどうか調べればよい。図形の一部を移動して考えてみよう。

どのように移動して考えたかは，下の図の通りである。

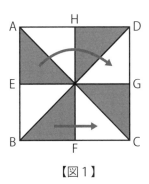

【図1】

答　ア

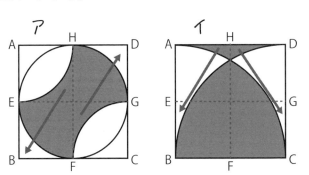

活用してみよう

1 次の塗りつぶした部分の面積を求めよう。円周率は 3.14 として計算しよう。

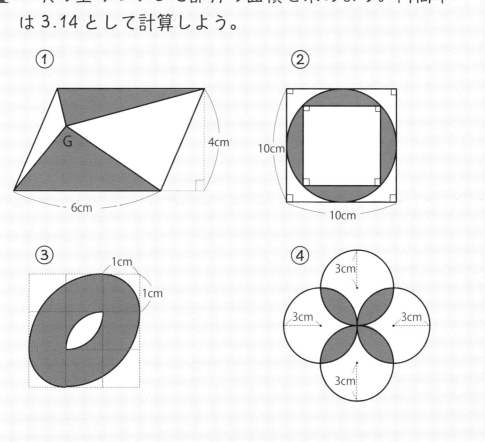

① ②

G

4cm

6cm

10cm

10cm

③ ④

1cm

1cm

3cm

3cm 3cm

3cm

円周率は昔から調べられている。4000 年前エジプトでは円周率を $3\frac{13}{81}$ としていた。現在でもコンピュータを使いくわしく計算されつづけている。日本では 2010 年に 5 兆ケタまで計算している。

解 答

1

①

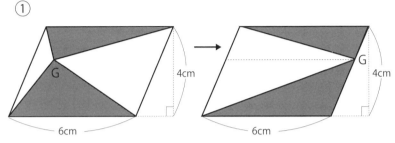

平行四辺形の
面積の半分に
なるから
$6 \times 4 \div 2 = 12$

答　12cm²

②

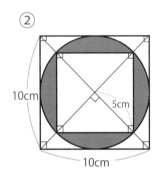

円の半径は図のように5cmで
円の内部の正方形の面積は
$\left(5 \times 5 \times \dfrac{1}{2}\right) \times 4$
$= 50$
半径が5cmの円の面積から引くと
$5 \times 5 \times 3.14 - 50$
$= 28.5$ 　　　答　28.5cm²

③

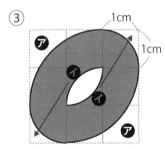

3×3 の正方形の面積から
⑦ $\times 2$ と①を移動して，中央の 1×1
の正方形の面積を引けばよい。
⑦の面積は
$4 - \left(2 \times 2 \times 3.14 \times \dfrac{1}{4}\right)$
$= 0.86$
$3 \times 3 - (0.86 \times 2) - 1$
$= 6.28$ 　　　答　6.28cm²

④

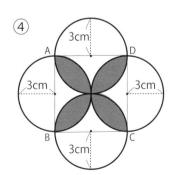

正方形ABCDの面積は
$6 \times 6 = 36$
これから半径3cmの半円の4倍の
面積を引けば，塗りつぶした面積が
求まる。
$\left(3 \times 3 \times 3.14 \times \dfrac{1}{2}\right) \times 4 - 36$
$= 20.52$
答　20.52cm²

11 関係を見つける

(1) 正三角形は何枚並んだ

1 右の図のように正三角形を並べている。6段目には、正三角形の板が何枚並ぶだろうか。

段の数を x 段、板の数を y 枚として、1段目、2段目、……6段目まで順に板の数を求め、表にまとめて考えてみよう。

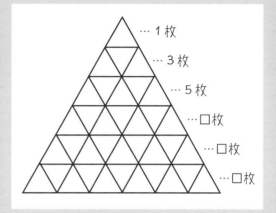

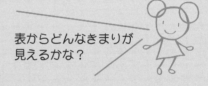

表からどんなきまりが見えるかな？

2 今、三角形の板の数が49枚ある。この板を全部使うと何段目まで並べられるか考えてみよう。

表の見方は2通りあるよ。
①段の数が1増えると、三角形の板の数はどうなっているか。
（表の変化の見方）
②段の数と三角形の板の数を比べてみるとどうなっているか。
（表の対応の見方）

解答

1

段の数（x）と三角形の板の数（y）を表にまとめると，次のようになる。

段の数 x(段目)	1	2	3	4	5	6
板の数 y(枚)	1	3	5	7	9	11

① 表の変化の見方では，
段の数が 1 増えると，三角形の板の数はどうなっているかな。

段の数 x(段目)	1	2	3	4	5	6
板の数 y(枚)	1	3	5	7	9	11

2 枚ずつ増えている 　答　6 段目は 11 枚

② 表の対応の見方では，
段の数と三角形の板の数を比べてみると…。

段の数 x(段目)	1	2	3	4	5	6
板の数 y(枚)	1	3	5	7	9	11

段の数に段の数から 1 を引いた数をたすと三角形の板の数になっている。
$6 + 5 = 11$ 　答　6 段目は 11 枚

③ x と y の関係を考えると
$y = 2x - 1$ で表せる。
$x = 6$ のとき $y = 2 \times 6 - 1$
$= 11$ 　答　6 段目は 11 枚

2

③の関係を使うと
$49 = 2x - 1$
$2x = 50$
$x = 25$

答　25 段目まで並べられる

11 関係を見つける

(2) 折り目の数はいくつ

考えてみよう

1 長方形の紙を6回折ったときの，長方形の数や折り目の数を考えてみよう。

① 折った回数が少ない場合から順に長方形の数を調べてみよう。

実際に紙を6回折るのはむずかしいね。

② 折った回数と長方形の数の表を書いて，きまりを見つけて長方形の数を求めてみよう。

表をかいてみるとわかるね。

③ 折った回数と折り目の数を表に書いて，きまりを見つけて折り目の数を求めてみよう。

④ ②と③から長方形の数や折り目の数の増え方を表にして，どんなきまりがあるか考えてみよう。

コメント ●●● ②の表は，このように書くとよい。

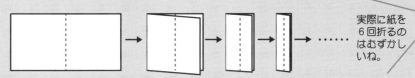

折った回数	1	2	3	4	5	6
長方形の数	2	4				

?対応の見方

変化の見方

解答

1

①

1回　　　　　　2回　　　　　　3回　　　…

②

折った回数	1	2	3	4	5	6
長方形の数	2	4	8	16	32	64

$2 \times 2^{n-1}$
（対応の見方）

2　4　8　16　32
（変化の見方）

長方形の数は
前の数の2倍に
なっているよ。

③

折った回数	1	2	3	4	5	6
折り目の数	1	3	7	15	31	63

（対応の見方）

2　4　8　16　32
（変化の見方）

折り目の数は長方形
の数より1小さいよ。

折り目の数の増え方2,4,8…は
前に増えた数の2倍になっているよ。

④

折った回数	1	2	3	4	5	6	…	n
長方形の数	2	4	8	16	32	64	…	$2 \times 2^{n-1}$
折り目の数	1	3	7	15	31	63	…	$2 \times 2^{n-1} - 1$

（対応の見方）
-1

答　折り目の数を2倍した数に1をたすと，
　　次の折り目の数になる。

11 関係を見つける

(3) これ何に対応させる ―その1―

事象か何によって決まるかを見つけて，決まれば決まるという見方で（対応の見方）で事象のきまりや性質を調べることがある。

考えてみよう

1 円の面積は，円の中心と何によって決まるか3通り考えてみよう。

① 半径の長さで決まる。

② ☐ の長さで決まる。

③ 1辺が ☐ の正方形の長さで決まる。

（右の図を参考にして考えよう）

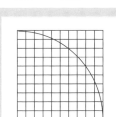

2 決まれば決まるという見方（対応の見方）で①のように②，③を言葉で表現してみよう。

〈例〉① 半径の長さが決まれば，円の面積が決まる。

3 ①～③の対応の見方で，円の面積の求め方を考えてみよう。

解答

1 例えば

② 直径の長さで決まる

③ 1辺が半径の正方形の長さで決まる

2

② 直径の長さが決まれば，円の面積が決まる

③ 1辺が半径の正方形の長さが決まれば，円の面積が決まる

3

① 円の面積＝（半径）×（半径）×3.14

② 円の面積＝（直径）×（直径）×0.785

③ 円の半径を1辺とする正方形の面積は
（1辺が半径の正方形の面積）＝（半径）×（半径）×3.14

〈注〉②の定数 x (0.785) の
求め方は，
半径を r とすると
$3.14 \times r^2 = (2r) \times (2r) \times x$
$4 \times x = 3.14$
$x = 0.785$

③の定数 x (3.14) の
求め方は，
半径を r とすると
$3.14 \times r^2 = r \times r \times x$
$x = 3.14$

いっぷく

「決まれば決まる」という考え方（対応の考え方）を日常生活でも次のような場面でよく使っているよ。
① 積み上げられた画用紙の枚数を重さに対応させて求める。
② ばらばらになったクリップの個数を重さに対応させて求める。
③ 巻かれた針金の長さを重さに対応させて求める。
④ 校庭の木の高さを影の長さに対応させて求める。

11 関係を見つける

(3) これ何に対応させる —その2—

4 右の図は，1辺が5 cm の正方形を縦，横に5等分したます目である。この図では大小さまざまの正方形がいくつあるか求めようとするとき，正方形の何に着目するとよいか考えてみよう。

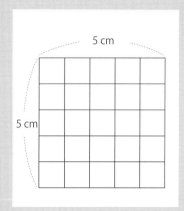

5 cm

5 cm

① 1辺が1cmの正方形の数を求めるとき，正方形の何に着目（対応）するとよいか。1辺が1cmの正方形の数は何個あるか。

② 1辺が3cmの正方形の数は何個あるか。

③ 大小さまざまの正方形の数を求めよう。

5 同じような考え方で，上の図で大小さまざまの長方形の数を求めてみよう。

　ただし，正方形は入れないことにする。

縦，横に別けて考えて，最大何個できるか考えてね。

- 123 -

解答

4

①

1辺が 1cm の正方形の数を考えるとき，正方形の1つの頂点に正方形の数を対応させて考えるとよい。

正方形の頂点は，縦に5個，横に5個の頂点ができるので，正方形の数は

5×5＝25   答　25個

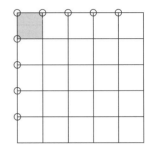

② 1辺が3cm の正方形の頂点は，縦に3個，横に3個できるので，正方形の数は

3×3＝9   答　9個

③ 25＋16＋9＋4＋1＝55

　　　　　1辺が2cmの　1辺が4cmの
　　　　　正方形の数　　正方形の数

答　55個

5

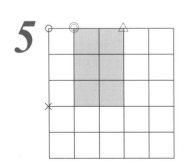

縦に2頂点（○と ×），横に2頂点（◎と△）を選べば1つの長方形が対応する。
縦の2頂点の選び方は

$$\frac{6 \times 5}{2} = 15$$

横の2頂点の選び方は

$$\frac{6 \times 5}{2} = 15$$

したがって，長方形の数は
15×15＝225
これは正方形55個も含んでいるので
225－55＝170

答　170個

図は縦 3cm,
横 2cmの長方形を
表しているよ。

11　関係を見つける

1　右の図の長方形ＡＢＣＤの周上を，点ＥはＡ→Ｂ→Ｃ→Ｄと　一定の速さで移動する。

　移動時間と三角形ＡＥＤの面積の変わり方を表すグラフはどれか。ア～エで答えよう。

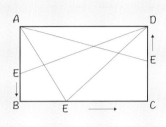

ア　　　　　イ　　　　　ウ　　　　　エ

2　右のような形をした水そうに，水を一定の割合でいっぱいになるまで入れる。水を入れ始めてから x 分後の水の深さを y cm とするとき，x と y の関係を表すグラフとして正

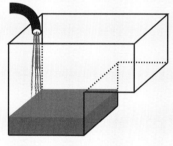

しいものをア～エから選び，そのグラフが正しいと考えた理由を説明しよう。

ア　　　　　　イ　　　　　　ウ　　　　　　エ

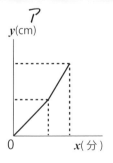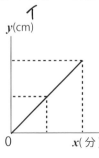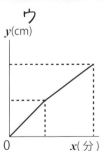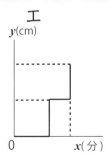

解答

1

① E が AB 上にあるときは, △AED の面積は一定の割合で増加する。

② E が BC 上にあるときは, △AED の面積が一定になるので, グラフは平行になる。

③ E が CD 上にあるときは, △AED の面積は一定の割合で減少する。

答　ウ

2

答　ウ

理由　水を一定の割合で入れていくと, はじめは水面の面積が一定であるから, 深さは一定の割合で増えていく。途中, 水面の面積が大きくなるから, 深さの増える割合は, はじめより小さくなる。したがって, グラフの傾きが途中から小さくなっているウが正しいグラフである。

こんなグラフになるよ。

いっぷく
下の図のように, 底が階段状になっている直方体の水そうのとき, どんなグラフになるかイメージできるかな？

横から見た図

上から見た図

関係を見つける

3 　長さの等しい棒で，下のように正六角形を作り，横に並べていく。

　正六角形を３５個作るとき，棒は何本いるか考えてみよう。

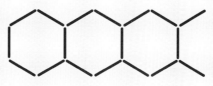

① 　図を書いて数えても求められそうだが，表を書いて，そのきまりを見つけ求めることにする。下の表を書いて，変化の見方のきまりを見つけてみよう。

		1	1	1	1	1	
正六角形の数 x（個）	1	2	3	4	5	6	
棒の数 y（本）	6						
		□	□	□	□	□	

② 　上の表を見て，かおりさんは正六角形を３５個作るときの棒の数を，次の式で求めた。

$$6 + 5 \times (35 - 1) = 176 \qquad 答 \quad 176本$$
６，５，（３５－１）は，それぞれ何を表しているか。

③ 　正六角形の数を x 個，棒の数を y 本として，棒の数を求める式を２つ以上考えてみよう。そのときの考え方も説明しよう。

解答

変化の見方

3

①
正六角形の数 x (個)	1	2	3	4	5	6
棒の数 y (本)	6	11	16	21	26	31

+1 +1 +1 +1 +1

対応の見方

+5 +5 +5 +5 +5

変化の見方

② ・6は，1個目の正六角形の棒の数，
・5は，正六角形が1個増えるごとに棒の数が5本増えていることを表す数。
・（35－1）は，正六角形の数35個のときの棒の数（＋5）が何回増えたかを表す数。

③ 次のような考え方で求められる。
ア　変化の見方から
$$y＝6＋5(x－1)$$
イ　対応の見方から
$$y＝1＋5x$$
ウ　図の見方から，重なっている棒を引くことを考えると
$$y＝6x－(x－1)$$
エ　図の見方から，正六角形1個を棒5本と考えて x 個，最後の1本を加えて考えると
$$y＝(6－1)×x＋1$$
オ　図の見方から，正六角形を上段と下段に分けて考えると，棒の本数は，$2x×2$，
中の本数 $x＋1$ を加えて考えると
$$y＝2x×2＋(x＋1)$$

ア～オの式を整理するとすべて
$$y＝5x＋1　になる。$$

12 和算を楽しむ

(1) 油分け算 ―その1―

和算は，江戸時代に日本で独自に発達した数学である。江戸時代には，たくさんの人々が和算の問題に挑戦し楽しんでいたようである。

考えてみよう

1 1ℓのつぼに，油が1ℓ入っている。この油を5dLずつ2人に分けたい。しかし，ここには7dLと3dLのますしかない。

この2つのますを使って，5dLずつ分けることを考えてみよう。

右の図のように，どの大きさのますでどのますに入れるとよいかを図にかいて考えてみよう。

〈注〉③は3dLのますを使っていることを表している。

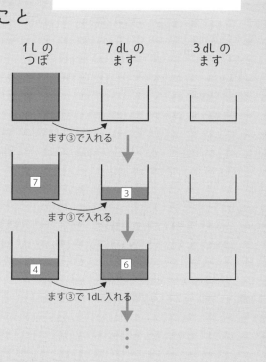

1ℓの
つぼ　　7dLの
ます　　3dLの
ます

ます③で入れる

7　　3

ます③で入れる

4　　6

ます③で1dL入れる

解答

1 ① 3 dL のますで油つぼから 7 dL のますに 3 回入れると，3 dL のますには 2 dL 残る。

② 7 dL のますの油を全部油つぼに戻す。3 dL のますに入っている 2 dL の油を 7 dL のますに入れる。

③ 3 dL のますで油つぼから 3 dL とり，7 dL のますに入っている 2 dL にたすと，7 dL のますに 5 dL，油つぼに 5 dL になる。

	つぼ (1L)	ます A (7dL)	ます B (3dL)
①	10 → *③で入れる*	0	0
	7 → *③で入れる*	3	0
	4 → *まず③で1dL入れる*	6 → *残り2dL入れる*	0
	1	7	2
②	1 ← *全部戻す*	7	2
	8	0 ← *全部戻す*	2
	8	2	0
③	8 → *③入れる*	2	0
	5	5	0

〈注〉③は 3dL のますを使っていることを表している。表中の数字の単位は dL である。

この問題は「塵劫記」（吉田光由）の中にのっているよ。

12 和算を楽しむ

(1) 油分け算 ―その2―

2　10Lの容器に水が満たされている。この水を7Lの容器と3Lの容器を使って、5Lずつに分けるには、どのように移しかえればよいか。

10Lの容器をA、7Lの容器をB、3Lの容器をCとすると、はじめの状態①から最後の状態④になればよい。

そこで、右の図のように状態①から状態②、状態③になるように考え、最後の状態④になるように考えてみよう。

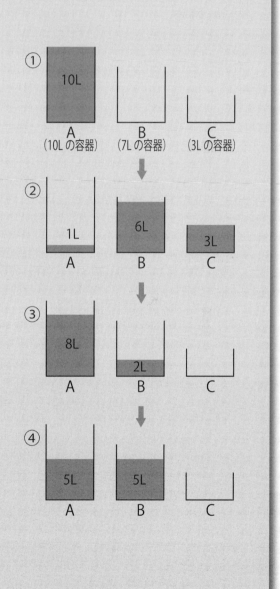

① A（10Lの容器）10L　B（7Lの容器）　C（3Lの容器）

② A 1L　B 6L　C 3L

③ A 8L　B 2L　C

④ A 5L　B 5L　C

解答

2

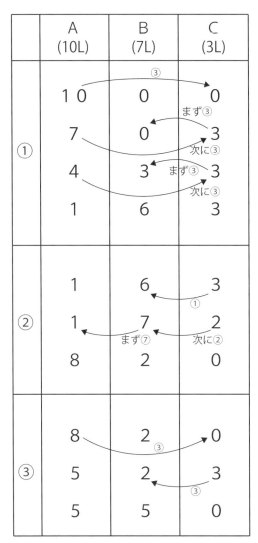

	A (10L)	B (7L)	C (3L)
①	1 0	0	0
	7	0	3
	4	3	3
	1	6	3
②	1	6	3
	1	7	2
	8	2	0
③	8	2	0
	5	2	3
	5	5	0

〈注〉 —→ は○印の量だけ移しかえることを示している。

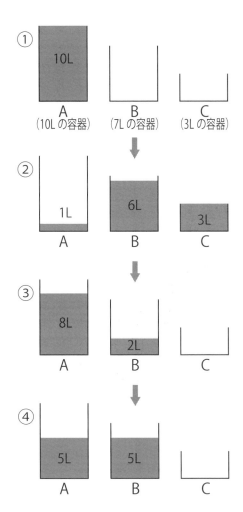

油分け算の1と2の問題は質的に同じ問題であることに気づいたかな？でも、分け方は少し違っているよ。

(2) 薬師算

考えてみよう

塵劫記

　右の絵の●のように，碁石を正方形の形に並べる。たとえば，1辺が8個のとき，1列に8個ずつ，〇のように並べかえると，3列並んで，最後の1列は4個になる。この最後の列の個数から，並べた碁石の総数を求めるには，どうすればよいか考えてみよう。

1　碁石の正方形が1辺が6個のときや8個のとき，並べた碁石の総数を求めるために〇をどのように並べかえればよいか薬師算の考え方で並べてみよう。

2　正方形の1辺が6個のときと，8個のときの並びかえた図を比較して，最後の列の個数から並べた碁石の総数の求め方を考えてみよう。

3　正方形の1辺の碁石の数が何個であっても，この最後の列の個数から，並べた碁石の総数の求め方を考えてみよう。

この問題は「塵劫記」にのっているよ。

解答

1 碁石の並べ方は，下のようになる。

① 1列が6個ずつの場合　　② 1列が8個ずつの場合

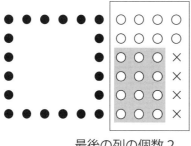

最後の列の個数 2

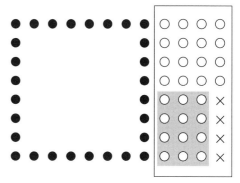

最後の列の個数 4

2 ① 4列に並べかえると最後の列の個数は必ず4個不足する。（図の ××××印）

（4隅の碁石を二重に数えているため）

② したがって，4×3＝12 は1辺を何個であっても，並べかえると定数12になる。（図の ▆ で示した碁石）

③ この12個に (最後の列の個数)×4を加えれば，碁石の総数になる。

①の場合　2×4＋12＝20　　20個

②の場合　4×4＋12＝28　　28個

3 正方形の1辺の碁石の数が何個であっても

(最後の列の個数)×4＋12　の式で求められる。

この12という数は薬師如来の12神将にちなんだものといわれているよ。

12 和算を楽しむ

(3) 算　額

　算額とは，和算の問題をつくり，問題，解き方，答を板に書いて神社や寺に納めたものである。

　江戸時代に日本で全国的に流行し，現在も約９００個の算額が残っているといわれている。

考えてみよう

1
　米１kg につき，1250 円で仕入れ，1500 円で売り，１万円の利益がありました。

　この米を仕入れるのにかかった代金はいくらですか。

（群馬県太田市田中神社）

2
　３０人の役人がいます。毎日交代で順番に４人が見張りをすることになりました。今日見張りをした４人が次にそろうのは，何日目になりますか。

（群馬県邑楽郡板倉町雷電神社）

（大阪府茨木市井於神社）

解答

1 ① 1kg 売ったときの利益
$$1500-1250=250 \quad 250円$$
② 売れた米の量
10,000円の利益があったので
$$10,000÷250=40$$
40kg 売れたことになる
③ 仕入にかかった代金
40kg の米を仕入れるのにかかった代金は
$$1,250×40=50,000$$

<u>答　50,000円</u>

2 ① $30÷4=7$ あまり 2
余りが出ないようにするには，もう1回ずつ見張りをすればよい。

```
   1  2  3  4  5  6  7  8  9 10 11 12 13 14 15 （日）
 ┌──┬──┬──┬──┬──┬──┬──┬──┬──┬──┬──┬──┬──┬──┐
 │  │  │  │  │  │  │  │ 2│  │  │  │  │  │  │
④│ 4│ 4│ 4│ 4│ 4│ 4│ 4├──┤ 4│ 4│ 4│ 4│ 4│ 4│④
 │  │  │  │  │  │  │  │ 2│  │  │  │  │  │  │
 └──┴──┴──┴──┴──┴──┴──┴──┴──┴──┴──┴──┴──┴──┘
```

② 2回ずつ見張りをすると，のべ60人になるので
$$60÷4=15 \quad 15日で全員2回ずつ見張りをしたことになる。$$
③ 今日見張りをした同じ4人がそろうのは，翌16日目である。

<u>答　16日目</u>

12 和算を楽しむ

(4) 鶴亀算

中国の「孫子算経」という古い書物に，次のような問題が書かれている。

雉と兎が同じ籠の中に入っている。頭の数は３５で，足の数は９４である。籠の中には，雉と兎はそれぞれどれだけいるか。

この問題は，その後日本に伝わり，雉と兎が鶴と亀に変わった。そこで，このような問題を日本では「鶴亀算」とよぶようになった。

1 この問題を３５匹すべて雉として，問題を解いてみよう。

2 雉の数を x，兎の数を y として，連立方程式をつくり，解いてみよう。

3 上の問題を，「孫子算経」では，次のように解いている。
（兎の数）＝（足の数）÷２－（頭の数）
（雉の数）＝（頭の数）－（兎の数）
このようにして解けるわけを説明しよう。

解答

1

35匹すべて雉とすると足の数は
$$35×2＝70 \qquad 70本$$
足の数は94本だから
$$94－70＝24 \qquad 24本足りない$$
兎を1匹増やすと2本ずつ足が増えていくから
$$24÷2＝12$$
12匹の兎がいることになる。
雉の数は
$$35－12＝23$$

答　雉は23匹，兎は12匹

2

雉の数を x，兎の数を y とすると，
$$\begin{cases} x＋y＝35 （頭の数） & …① \\ 2x＋4y＝94 （足の数） & …② \end{cases}$$
　　　　これを解いて
$$(x,\ y)＝(23,\ 12)$$

答　雉は23匹，兎は12匹

3

2の連立方程式において
②÷2－①をつくると

・②÷2は
$$x＋2y＝47…②'$$

・この②′ から①を引くと
$$\begin{array}{r} x＋2y＝47 \\ －)\ x＋\ \ y＝35 \\ \hline y＝12 \end{array}$$

となり（足の数）÷2－（頭の数）で兎の数が求められる。

雉：$x＝$（頭の数）－（兎の数）　　　兎：$y＝$（足の数）÷2－（頭の数）
　　　$＝35－12$　　　　　　　　　　　　$＝94÷2－35$
　　　$＝23$　　　　　　　　　　　　　　　$＝12$

12 和算を楽しむ

1 俵を，1段ごとに1俵ずつ減らして積んでいく。いちばん下の段に13俵あるとき，俵は全部で何俵あるか。

2 約350年前の和算の本に，次のような問題がある。

此猩々緋幅三尺二寸
長五尺有
是を四方になをす時
こまかにたちくずさずして
なをし度と問う時

この問題の意味はこうである。
「赤色（猩々緋は色の名前）ではばが3.2尺，長さが5尺の布がある。
この布を正方形になおすとき，なるべく細かく切らないでなおしたい。どうすればよいか。」

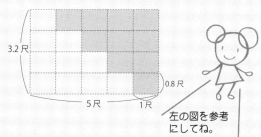

3.2尺
5尺　1尺
0.8尺

左の図を参考にしてね。

3 上の問題のように，縦16cm，横25cmの長方形をなるべく細かく切らないで，長方形を正方形に変身することを考えてみよう。

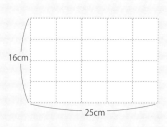

16cm
25cm

解答

1

例えば，今いちばん下の段に６俵あるときを考えてみる

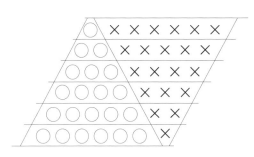

逆さまにして平行四辺形にして考えると俵の個数は

7×6＝42　となる。

42÷2＝21

同じ考え方で13俵の場合は

14×13＝182　となる

182÷2＝91

答　91俵

2

布の面積は

3.2×5＝16（尺）

4×4＝16　で同じ面積の正方形ができる。

それで，１辺が４尺にすることを考えればよい。

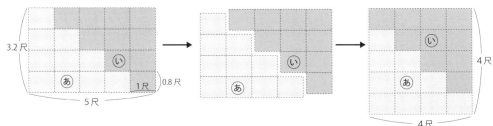

3

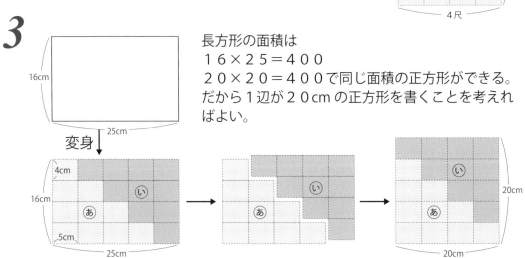

長方形の面積は

16×25＝400

20×20＝400で同じ面積の正方形ができる。

だから１辺が20cmの正方形を書くことを考えればよい。

(1)　どっちがお得

1　しょうたさんは，ティーシャツがセールになったので，どの店で買おうかと考えている。ティーシャツの定価はどの店も同じである。

① ティーシャツを4着ほしいとき，小林商店，田中商店のどちらで買うと安くなるか。

② しょうたさんは小林商店で4着のティーシャツを買ったが，衣川商店で4着のティーシャツを買ったかおりさんと同じ金額であった。ティーシャツ1着の定価はいくらか。

2　近所のおもちゃ屋は，仕入れのねだんが3000円のゲーム機に20%のもうけを見込んで定価をつけたが，なかなか売れないので，定価の20%引きで売ることにした。次の問いに答えよう。

① 20%引きにするとおもちゃ屋はいくら損をするか。また得をするか。

② 定価の20%引きを定価の15%引きにすると，おもちゃ屋はいくら得をするか。

解答

1 ① ティーシャツ1着の定価を x 円とすると
小林商店で支払う代金は
$$0.7x \times 4 = 2.8x \text{（円）}$$
田中商店で支払う代金は，3着買えばよいから
$$3x \text{（円）}$$

<u>答　小林商店で買うほうが安くなる</u>

② 衣川商店で支払う代金は
$$4x - 1200 \text{（円）}$$
小林商店と同じ金額だったから
$$2.8x = 4x - 1200$$
$$1.2x = 1200$$
$$x = 1000$$

<u>答　ティーシャツ1着の定価
　　　　　　　　　1000円</u>

2 ① 定価は　$3000 \times 1.2 = 3600$ （円）
定価の20％引きの値段は
$$3600 \times 0.8 = 2880 \text{（円）}$$
$$3600 - 2880 = 720$$

<u>答　720円損をする</u>

② 定価の20％引きを15％引きにすると
値段は　$3600 \times 0.85 = 3060$ （円）
$$3600 - 3060 = 540$$

<u>答　540円得をする</u>

13 生活の中で活かす

(2) カレンダーであそぶ

1 右のカレンダーは，２０２３年１２月のカレンダーである。

カレンダーの数をいろいろ囲んで見て囲んだ数の和を求め，どんな数になるか性質を見つけよう。

2023年　　12月						
日	月	火	水	木	金	土
					1	2
3	4	5	6	7	8	9
10	11	12	13	14	15	16
17	18	19	20	21	22	23
24	25	26	27	28	29	30
31						

① 横に５つ囲んだ数の和

日	月	火	水	木	金	土
					1	2
3	4	5	6	7	8	9
10	11	12	13	14	15	16
17	18	19	20	21	22	23
24	25	26	27	28	29	30
31						

② 縦に３つ囲んだ数の和

日	月	火	水	木	金	土
					1	2
3	4	5	6	7	8	9
10	11	12	13	14	15	16
17	18	19	20	21	22	23
24	25	26	27	28	29	30
31						

③ 図のように５つの数を囲んだ数の和

日	月	火	水	木	金	土
					1	2
3	4	5	6	7	8	9
10	11	12	13	14	15	16
17	18	19	20	21	22	23
24	25	26	27	28	29	30
31						

2 あおいさんは，２０２３年１２月のカレンダーの囲んだ数の和を次のように説明している。どのように数を囲んでいたかカレンダー上に示そう。また，その囲み方には，どんな性質が成り立つか。 □ の中に書こう。

囲んだ数の和は

$$(x - 8) + x + (x + 8) = 3x$$

したがって

解答

1 ① 真ん中の数を x とすると
$$(x-2)+(x-1)+x+(x+1)+(x+2)$$
$$=5x$$

答　横に５つ囲んだ数の和は，
　　真ん中の数の５倍になっている

② 一番上の数を x とすると
$$x+(x+7)+(x+14)$$
$$=3x+21$$
$$=3(x+7)$$

答　真ん中の数の３倍になっている

③

	$x-7$	
$x-1$	x	$x+1$
	$x+7$	

中央に位置する数を x とすると
他の数は，左図のように表すこと
ができる。

$$(x-7)+(x-1)+x+(x+1)+(x+7)$$
$$=5x$$

答　中央に位置する数の５倍になっている

2 右の図のような囲んだ数は
$x-8$, x, $x+8$
のように表せる。
この３つの数の和は
$$(x-8)+x+(x+8)$$
$$=3x$$

答　斜めに囲まれた３つの数の和は，
　　真ん中の数の３倍になっている

13　生活の中で活かす

(3)　ランドルド環のしくみは？

考えてみよう

1　視力を検査するときに使う，右のような図をランドルド環という。ランドルド環の直径とすき間の大きさは図のようになっていて，そのすき間を 5 m 離れた場所から見分けられるとき，視力がそれぞれ 0.5，1.5 となる。直径やすき間の大きさと視力の間に，次の関係がある。

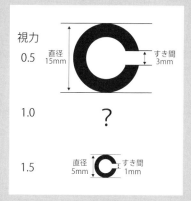

〔関係1〕ランドルド環のすき間の大きさは，直径の大きさに比例している。
〔関係2〕ランドルド環の直径の大きさは，視力に反比例している。

　1.0 の視力をはかるランドルド環の直径とすき間の大きさを求めてみよう。

2　右の図の寸法のランドルド環を，5 m 離れたところから見て，そのすき間が判別できれば，1.0 の視力があると，国際眼科学会で決められている。

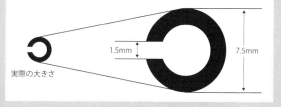

　図のランドルド環を，大きさを変えずに，x m 離れたところから見て，すき間が判別できたとき，その視力を y とすると，$y = \dfrac{1}{5}x$　と表せる。

　そこで，図のランドルド環から何 m 離れたところからすき間が判別できれば，1.5 の視力があるといえるか求めてみよう。

解答

1

1.0の視力のすき間を a，直径を b と考えると

　① すき間の大きさと直径の大きさは比例しているので

すき間	3	a	1
直 径	1 5	b	5

　② 直径の大きさと，視力は反比例しているので

直 径	1 5	b	5
視 力	0.5	1.0	1.5

②から　直径と視力は反比例しているから

直径 × 視力＝7.5（一定）　（15×0.5＝7.5，5×1.5＝7.5）

したがって，$b×1.0＝7.5$

$$b＝7.5$$

①から　すき間と直径は比例しているから

$\dfrac{すき間}{直径}$ が一定で比例定数 $\dfrac{1}{5}$ になる。

したがって，$\dfrac{a}{7.5}＝\dfrac{1}{5}$

$$5×a＝7.5$$
$$a＝1.5$$

答　すき間 1.5mm　直径 7.5mm

2

1.5の視力があるとき

$y＝\dfrac{1}{5}x$　に $y＝1.5$ を代入すると

$1.5＝\dfrac{1}{5}x$

$x＝7.5$

答　7.5m 離れたところ

13 生活の中で活かす

(4) 拡大・縮小できるかな －その1－

A4とA5の関係

① A4の紙を半分に折って，A5の紙と比べると，同じ大きさになる。

② A4の紙とA5の紙の両方に対角線を引いて，この2つの長方形を右の図のように重ねると，対角線が重なったので，この2つの長方形は相似である。

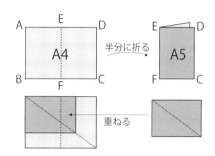

考えてみよう

1 ① 上の図で，辺ABの長さを1，辺ADの長さを x として相似な図形の対応する辺の長さの比が等しいことを使って，x の値を求めよう。

② A4，A5の隣り合う辺の比を求めよう。

2 ① 参考図でA0の紙の短い辺の長さを x cm として，長い辺の長さを x を使って表そう。

② A0の紙の面積1m² を x を使って表し，方程式をつくって x の値を求め，短い辺の長さと長い辺の長さを電卓を使って求めよう。

3 コピー機を使って，次のように拡大または縮小するときの倍率を求めよう。%で答えよ。

① A5→A4 ② A3→A5

参考 A判の紙

隣り合う辺の長さの比が 1：$\sqrt{2}$ で，面積が1m²の長方形がもとになっている。この長方形の大きさがA0で，次々と半分に切っていくと，A1，A2，…となる。

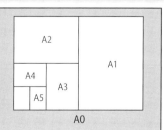

解答

1

① 辺ＡＢの長さを１，辺ＡＤの長さを x とすると，
長方形ＡＢＣＤと長方形ＥＦＣＤは相似で対応する辺の比は
等しいから

$$1 : \frac{1}{2}x = x : 1$$
$$\frac{1}{2}x^2 = 1$$
$$x = \pm\sqrt{2}$$

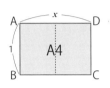

$x > 0$ だから
$$x = \sqrt{2} \ (1.414\cdots)$$
答　$x = \sqrt{2}$

$$\frac{\sqrt{2}}{2} : 1$$
$$= \sqrt{2} : 2$$
$$= 1 : \frac{2}{\sqrt{2}}$$
$$= 1 : \sqrt{2}$$

となるよ。

② Ａ４の紙の隣り合う辺の比
　ＡＢ：ＡＤ＝ $1 : \sqrt{2}$
　Ａ５の紙の隣り合う辺の比
　ＥＤ：ＥＦ＝ $\frac{\sqrt{2}}{2} : 1$
　　　　　　 $= 1 : \sqrt{2}$

2

① Ａ０の紙の短い辺の長さを x cm とすると，
長い辺は $\sqrt{2}\,x$ cm となる。　答　$\sqrt{2}\,x$ (cm)

② Ａ０の紙の面積が１m²，つまり 10000cm²
だから　$x \times \sqrt{2}\,x = 10000$
$$x^2 = 5000\sqrt{2}$$
$$x^2 = 7071.067\cdots$$
$x > 0$ だから　電卓で計算すると
$$x = 84.089\cdots$$

長い辺の長さは
$\sqrt{2} \times 84.1$ だよ。

答　短い辺の長さ　　８４.１(cm)
　　長い辺の長さ　１１８.９(cm)

3

① １４１％（$\sqrt{2} \times 100$）　② ５０％

対応する線分の
比で考えると分
かるよ。

13 生活の中で活かす

(4) 拡大・縮小できるかな ―その2―

B4とB5の関係
① B4の紙を半分に折って，B5の紙と比べると，同じ大きさになる。
② B4の紙とB5の紙の両方に対角線を引いて，この2つの長方形を右の図のように重ねると，対角線が重なったので，この2つの長方形は相似である。

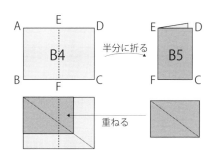

考えてみよう

4
① 上の図で，辺ABの長さを1，辺ADの長さを x として相似な図形の対応する辺の長さの比が等しいことを使って，x の値を求めよう。
② B4，B5の隣り合う辺の比を求めよう。

5
① 参考図でB0の紙の短い辺の長さを x cm として，長い辺の長さを x を使って表そう。
② B0の紙の面積 1.5 ㎡ を x を使って表し，x の値を求めよう。また，短い辺の長さと長い辺の長さを電卓を使って求めよう。

6 コピー機を使って，次のように拡大または縮小するときの倍率を求めよう。%で答えよ。
① B4→B5 ② A4→B4

参考 B判の紙
　隣り合う辺の長さの比が 1：$\sqrt{2}$ で，面積が 1.5m²の長方形がもとになっている。この長方形の大きさがB0で，次々と半分に切っていくと，B1，B2，…となる。

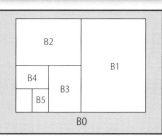

解答

4

① 長方形ＡＢＣＤと長方形ＥＦＣＤは相似であるから，対応する辺の比は等しく，

$$ＡＢ：ＥＤ＝ＡＤ：ＥＦ$$

よって，

$$1 : \frac{1}{2}x = x : 1$$
$$x^2 = 2$$

$x > 0$ だから

$$x = \sqrt{2}$$

答　$\underline{x = \sqrt{2}}$

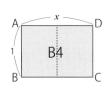

② Ｂ４の紙の隣り合う辺の比　ＡＢ：ＡＤ＝$1 : \sqrt{2}$

Ｂ５の紙の隣り合う辺の比　ＥＤ：ＥＦ＝$\frac{\sqrt{2}}{2} : 1$

$$= 1 : \sqrt{2}$$

5

① Ｂ０の紙の短い辺の長さを x cm とすると，長い辺は $\sqrt{2}\,x$ cm となる。　答　$\underline{\sqrt{2}\,x\,(cm)}$

② Ｂ０の紙の面積が 1.5m^2，つまり 15000cm^2 だから　$x \times \sqrt{2}x = 15000$

$$x^2 = 7500\sqrt{2}$$
$$x^2 = 10606.601\cdots$$

$x > 0$ だから　電卓で計算すると

$$x = 102.9883\cdots$$

答　短い辺の長さ　１０３.０(cm)
　　長い辺の長さ　１４５.６(cm)

6

① ７１％（$\frac{1}{\sqrt{2}} \times 100$）

② １２２％（$\frac{\sqrt{3}}{\sqrt{2}} \times 100$）

6の②の問題は，A4とB4は対角線で，下の図のように重ねることを考えてみよう。

13 生活の中で活かす

(5) 単位のしくみを考える

　わたくしたちが使っているのはメートル法の単位である。メートル法では，単位の関係が１０倍（10^1），１００倍（10^2），１０００倍（10^3）や$\frac{1}{10}$（10^{-1}），$\frac{1}{100}$（10^{-2}），$\frac{1}{1000}$（10^{-3}）になっている。その大きさを表す言葉は次のようになっている。

1000倍	100倍	10倍	1	$\frac{1}{10}$	$\frac{1}{100}$	$\frac{1}{1000}$
キロ（k）	ヘクト（h）	デカ（da）		デシ（d）	センチ（c）	ミリ（m）

考えてみよう

1 ①～⑬の単位を記入し，次の表を完成させよう。

倍		1000	100	10	1	$\frac{1}{10}$	$\frac{1}{100}$	$\frac{1}{1000}$
量の種類	長さ	①	②	③	1m	④	⑤	⑥
	面積		⑦		1a			
	体積	⑧			1L	⑨	⑩	⑪
	重さ	⑫			1g			⑬

2 液体の量の表し方は，Lや cm^3 以外にある。料理などでは１mLのことを「１cc」と表す。これは「cubic centimetre」を短くした表現で，「１cm^3」を表している。８０ccはLの単位で表すとどう表現できるか。

解答

1

表し方			k (キロ)	h (ヘクト)	da (デガ)		d (デシ)	c (センチ)	m (ミリ)
倍			1000	100	10	1	$\frac{1}{10}$	$\frac{1}{100}$	$\frac{1}{1000}$
量の種類	長さ		① 1 km	② 1 hm	③ 1dam	1 m	④ 1 dm	⑤ 1 cm	⑥ 1mm
	面積			⑦ 1 ha		1 a			
	体積		⑧ 1 kL			1 L	⑨ 1 dL	⑩ 1 cL	⑪ 1mL
	重さ		⑫ 1 kg			1 g			⑬ 1 mg

2

1 cc（1 cm³）＝ 1 mL であるから
８０cc＝８０mL である。

・dm も dam も日本の生活では
　あまり目にしないが国際単位だよ。
・L の定義を国際単位系では，$\frac{1}{1000}$m³
　あるいは dm³ としているよ。

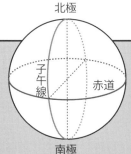

北極

子午線　赤道

南極

参考

① メートル法は 1875 年にフランスの提唱で世界的に
　統一されている。

② １mという長さ
　以前の定義「地球の子午線の１千万分の１」
　現在（1983 年）の定義「光の真空中の 299,792,458 分の１秒間に進む距離」

③ メートルでは単位に 10 の累乗を表す接頭語（SI 接頭語）をつけて単位と
して表記している。

④ 10 進数の構造になっているため，単位の換算が容易にできるよさがある。

13 生活の中で活かす

(6) 生活に生きるニュートン算

ニュートン算とは，次のア〜ウのようなある量が一方では増え，また一方では減っていくような状況のときに活用できる問題である。

ア　受付窓口でお客を処理する一方，お客が次々と並んでいく状況

イ　牧場の牛が草を食べる一方で，草が生えていくような状況

ウ　ポンプが水をくみ出す一方で，水が注ぎ込まれている状況

考えてみよう

1　あるイベント会場の前に開場直前に何人かの行列ができている。毎分３０人の人が行列に加わっている。入場口を３ケ所にすると１２分で行列がなくなる。入場口を７ケ所にすると４分で行列がなくなる。

① 　１つの入場口で１分で何人の入場ができるか。

② 　開場直前に何人の行列ができているか。

③ 　行列を６分でなくすようにするには，入場口を何ケ所にすればよいか。

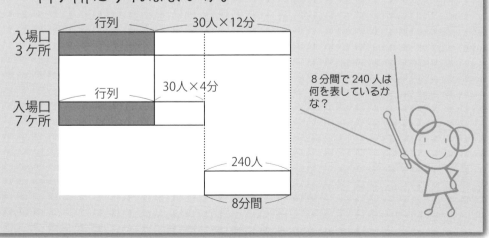

解答

1

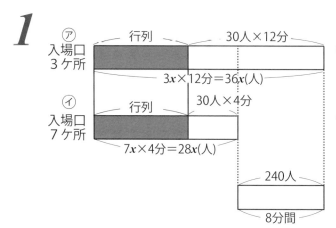

㋐の１２分で増えた人数は
　　３０×１２＝３６０（人）

㋑の４分で増えた人数は
　　３０×４＝１２０（人）

① 　１ケ所の入場口１分で入場できる人数を x 人と考えると
　上の図より
　㋐－㋑は，３６０－１２０＝２４０（人）
　８分間で増えた人数が２４０人だから x を求めると
　２４０÷８＝３０　　　　　　　　　　　　　　答　３０人

② 　行列の人数は，㋐で考えると
　３×３０×１２－３６０＝７２０（人）
　　　　　　　　　　　　　　　　　　　　　　答　　７２０人

360 は
12 分間で増えた
人数だよ。

③ 　１分間に行列に加わる３０人を入場させながら，
　開場前に行列している人数７２０人を６分間で入場させると
　考えればよい。
　　　７２０÷６＝１２０（人）
　したがって，
　合計１分間に１５０人（３０人＋１２０人）入場させる必要
　がある。
　　１ケ所の入場口で３０人入場させることができるので
　　　１５０÷３０＝５（ケ所）

　　　　　　　　　　　　　　　　　　　　　　答　　５ケ所

13 生活の中で活かす

1 ランドルド環

下の表は，p.145 の 1 のランドルド環の図で，ランドルド環のすき間を x mm，視力を y としたときの x と y の関係を表したものである。

x	15	7.5	5	3.75	3	2.5
y	0.1	0.2	0.3	0.4	0.5	0.6

① x と y の関係を式で表せ。
② 何 mm のランドルド環のすき間が判別できるとき，1.5 の視力があるといえるか。

2 おはじき遊び

A，B，C の 3 人でおはじき遊びをしたら，下の図のようになった。この遊びでは，落としたおはじきのちらばりの小さいほうが勝ちとなる。この例では，「おはじきのちらばりの程度は，A，B，C の順にだんだん小さくなっている」といえそうである。

A

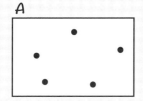

B

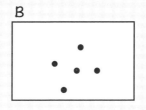

C

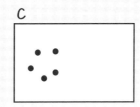

このような場合，ちらばりの程度を<u>数で表すしかた</u>をいく通りも考えてみよう。

解答

1 ① $x \times y = 1.5$ （一定）となっているから
y は x に反比例している
$y = \dfrac{1.5}{x}$ で表せる   答　$y = \dfrac{1.5}{x}$

② $y = \dfrac{1.5}{x}$ に $y = 1.5$ を代入すると
$x = 1$ 答　1mm のすき間が判別できるとき

2 たとえば，次のような方法が考えられる。
① 長さで調べる。
　　ア 多角形の周の長さで比べる。
　　イ 線分の和で比べる。
　　ウ 2点を結ぶ最大線分で比べる。
　　エ 任意の点から各点への長さの和で比べる。
　　オ 円などでおおうときの最小の円の半径で比べる。
② 面積で調べる。
　　ア 多角形の面積で比べる。
③ 位置関係で調べる。
　　ア 座標導入による平均偏差で比べる。
　　イ 標準偏差で比べる。

Aの図で，①と②の調べ方を図示すると

①のウの例　　①のエの例　　①のオの例　　②のアの例

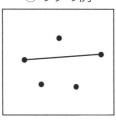 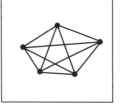 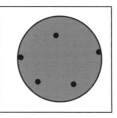 

13 生活の中で活かす

3 何日で牧草を食べつくす

ある牧場では，1日一定の割合で草がのびている。牛が1頭ずつ同じ割合で草を食べている。25頭の牛では80日で食べつくし，40頭の牛では20日で食べつくすという。

① 下の図の □ の長さは何を表しているか。

② 牧草がなくならない状態にするには，牛を何頭以下にすればよいか。

③ 30頭の牛では何日で牧草がなくなるか。

下の図を参考にして考えてみよう。

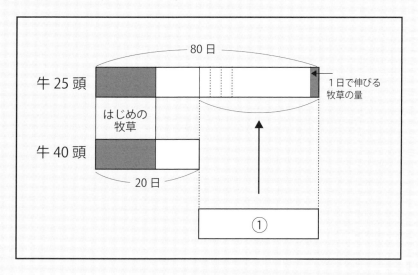

解答

3

① 60日間で伸びる牧草の量

② 牛1頭が1日で食べる量を**1**と仮定すると
　　ア　牛25頭で80日間で食べる量は
　　　　$1×25×80＝2000$
　　イ　牛40頭で20日間で食べる量は
　　　　$1×40×20＝800$
　　アとイより，60日間で伸びる牧草の量は，
　　　　$2000－800＝1200$
　　1日で伸びる牧草の量は
　　　　$1200÷60＝20$
　　これは20頭で食べつくすことになるから
　　20頭以下にすると，1日に伸びる牧草を食べきらなくなる。
　　　　　　　　　　　　　　　　　　　<u>答　20頭以下</u>

③ はじめの牧草の量は，
　　　　$2000－20×80＝400$
　　30頭で食べる場合，1日20の割合で伸びる牧草を除くに
　　は，牛を20頭あつめれば，伸びた分の牧草はなくなる。
　　はじめにはえている牧草の量を食べるには，残りの10頭の
　　牛が400の牧草を食べればよいから
　　　　$400÷10＝40$ （日）
　　したがって，40日で食べつくすことになる。
　　　　　　　　　　　　　　　　　　　<u>答　40日</u>

【引用・参考文献】

1) 藤井斉彬代表他著『新しい算数 1 年〜6 年』東京書籍株式会社 2014 年
2) 清水静海, 船越俊介他著『わくわく算数 1 年〜6 年』啓林館 2014 年
3) 澤田利夫, 坂井裕監修『小学算数 1 年〜6 年』教育出版 2011 年
4) 小山正孝, 中原忠男他著 『小学算数 1 年〜6 年』日本文教出版 2011 年
5) 藤井斉彬, 俣野博他著『新編新しい数学 1 〜 2』東京書籍株式会社 2016 年
6) 岡本和夫・小関熙純他著『未来へひろがる数学 1 〜 2』啓林館 2012 年
7) 上野富美夫著『算数パズル辞典』東京堂出版 2008 年
8) 小宮山博仁著 『図解大人のための算数と数学』日本文芸社 2022 年
9) 青山庸編著『オープンアプローチによる算数の学習指導』東洋館出版社 2013 年
10) 青山庸著『初任者のための算数の深読み―授業で確かな学力を培うために―』東京書籍株式会社 2015 年
11) 青山庸著『算数・数学科におけるオープンアプローチの数学的活動―数学的に考える資質・能力を育てる―』仁愛大学研究紀要人間生活学部篇（第 13 号）2021 年
12) 島田茂編著『算数・数学科のオープンエンド・アプローチ―授業改善への新しい提案―』みずうみ書房 1977 年

青山　庸（あおやま　いさお）

【略歴】

1964年福井大学卒業。福井県公立小中学校，福井大学教育学部附属中学校教諭，福井県生涯学習課参事，福井市小中学校校長などを経て，福井大学教育地域科学部附属教育実践センター客員教授，仁愛大学人間生活学部子ども教育学科教授，福井工業大学非常勤講師などを歴任。教員向けの算数・数学教育の著書，算数・数学科におけるオープンアプローチに関する論文や著書，生涯学習に関する著書など多数執筆・出版。

現在，仁愛大学名誉教授，福井大学福応会顧問

【最近の著書・論文】

- ・『大学における「算数」の講義の構想に関する実践的研究』仁愛大学研究紀要人間生活学部篇（第2号）2010年
- ・『オープンアプローチによる学習指導と評価に関する実践研究 ― 小学校算数を中心に ―』仁愛大学研究紀要人間生活学部篇（第3号）2011年
- ・『オープンアプローチによる算数の学習指導』東洋館出版社　2013年
- ・『初任者のための算数の深読み ― 授業で確かな学力を培うために ―』東京書籍　2015年
- ・『生涯学習の視点から学校教育を問い直す』（編著）東洋館出版社　2018年
- ・『算数・数学科におけるオープンアプローチの数学的活動 ― 数学的に考える資質・能力を育てる ―』仁愛大学研究紀要人間生活学部篇（第13号）2021年

認知機能を鍛える算数おもしろ問題
― 考えることを楽しむ ―

2024年4月29日　初版第1刷発行

著　　者　青 山　　庸
発 行 者　中 田 典 昭
発 行 所　東京図書出版
発行発売　株式会社 リフレ出版
　　　　　〒112-0001　東京都文京区白山 5-4-1-2F
　　　　　電話 (03)6772-7906　FAX 0120-41-8080
印　　刷　株式会社 ブレイン

© Isao Aoyama
ISBN978-4-86641-746-2 C0041
Printed in Japan 2024

落丁・乱丁はお取替えいたします。
ご意見，ご感想をお寄せ下さい。